초고령사회
산업의 변화

초고령사회 산업의 변화

김영기, 유민상, 김효정, 인치견, 이병용, 신현명, 이한규, 이상린, 손혜경

저출산과 고령화로 인한
한국경제 위기를
기회로 바꾸기 위한
새로운 패러다임의 전환!

서문

세상에서 가장 낮은 합계출산율!

OECD 국가 중에서 가장 빠른 고령화율!

저출산과 고령화로 인한 한국경제의 위기를 기회로 바꾸기 위하여 새로운 패러다임의 전환이 필요하다. 2025년 초고령사회를 목전에 둔 한국은 바야흐로 대부분의 사람들이 경험하지 못한 100세 시대가 도래하고 있다. 의료 기술의 발전과 더불어 환경과 위생이 좋아지고 영양가 있는 식단의 변화 덕분으로 수명이 늘어나고 있는 것이다.

이와 관련하여 100세 시대는 기존의 생활이나 관습 등과는 완전히 달라진 새로운 패러다임을 예고하고 있다. 이에 9명의 전문가가 모여 이 책을 통해 고령사회에서 초고령사회로 넘어가는 길목에서 산업의 변화에 대하여 방향성을 제시하였다.

제1장에서는 김영기 대표저자가 〈초고령사회 산업의 변화에 대처하는 방법론〉을 주제로 미래 로드맵을 제시하였다.

제2장에서는 자율주행 전문가인 유민상 저자가 〈초고령화 시대, 자율주행의 가치〉에 대하여 기술하였다.

제3장에서는 김효정 저자가 〈인구 절벽 시대, 고령 인구 활용 방안〉을 주제로 고령층의 활용 방안을 기술하였다.

제4장에서는 인치견 저자가 〈고령화사회의 도래와 고령친화산업 발전 방안〉이라는 주제로 고령친화산업의 발전 방안을 기술하였다.

제5장에서는 이병용 저자가 〈초고령사회의 패러다임과 유니버설 디자인〉이라는 주제로 새로운 디자인 전략을 제시하였다.

제6장에서는 신현명 저자가 〈초고령사회를 대비한 고령친화산업 육성〉이라는 주제로 고령친화산업 육성 방안을 제시하였다.

제7장에서는 이한규 저자가 〈인구 고령화 시대, 산업의 변화〉라는 주제로 산업의 변화에 대하여 기술하였다.

제8장에서는 이상린 저자가 〈다가오는 초고령사회, 인생 2막 로드맵〉이라는 주제로 초고령사회의 인생 로드맵을 제시하였다.

제9장에서는 손혜경 저자가 〈초고령화 시대의 시니어푸드 고령친화식품〉이라는 주제로 고령친화식품을 소개하였다.

2024.4.10.

대표저자 김영기 외 8명 dream

목차

제3장 / 김효정

인구 절벽 시대, 고령 인구 활용 방안

제4장 / 인치견

고령화사회의 도래와 고령친화산업 발전 방안

제5장 / 이병용

초고령사회의 패러다임과 유니버설 디자인

제6장 / 신현명

초고령사회를 대비한 고령친화산업 육성

제7장 / 이한규

인구 고령화 시대, 산업의 변화

제8장 / 이상린

다가오는 초고령사회, 인생 2막 로드맵

제9장 / 손혜경

초고령화 시대의 시니어푸드 고령친화식품

제1장

초고령사회 산업의 변화에 대처하는 방법론

김영기

1. 100세 시대에 대비한 새로운 계획

바야흐로 대한민국 사람들 대부분이 경험하지 못한 100세 시대가 도래하고 있다. 의료 기술의 발전과 더불어 환경과 위생이 좋아지고, 영양가 있는 식단의 변화 덕분으로 수명이 늘어나고 있는 것이다.

이와 관련하여 100세 시대는 기존의 생활이나 관습 등과는 완전히 달라진 새로운 패러다임을 예고하고 있다.

현행법과 관습에 의해, 나이에 따라 불리는 "60세 정년, 65세 노인"이라는 명칭도 이제는 바뀔 때가 된 것이 아닌가 한다.

과거 미국 메이저리그 뉴욕 양키스에서 활약한 요기 베라는 야구 역사상 최고의 포수로 손꼽힌다. 그는 "It ain't over 'til it's over(끝날 때까지 끝난 게 아니다)"라는 명언을 남긴 것으로도 유명하다. 그가 남긴 이 말은 비단 야구에만 국한되는 것이 아니다. 9회 말 투아웃, 팀이 지고 있는 어려운 상황 속에서도 역전을 시킬 수 있듯이 우리의 인생도 정년퇴직 이후 얼마든지 성공을 이뤄낼 수 있다.

100세 시대를 축구에 비유하면 1~50세까지가 전반전이고, 51~100세까지가 후반전이다. 축구의 승패를 결정하는 데 있어 전반전보다 체력이 고갈된 후반전이 더 중요한 역할을 하듯이 우리 인생도 후반전이 전반전보다 더 중요할 수 있다.

필자의 멘토 여섯 분 중 국내 제1의 멘토인 104세의 김형석 연세대 명예교수님은 자신의 경험담을 바탕으로 인생은 "30-30-30의 3단계"라고 말씀하셨다.

첫 번째 30은 1~30세까지로 세상에 태어나서 부모 도움으로 자라고 자아를 위한 교육을 받으면서 사회에 홀로서기까지의 시기를 말하고, 두 번째 30은 31~60세까지로 사회생활을 하면서 가정을 꾸리고 아이를 키우면서 집을 장만하기 위하여 열심히 일하는 시기로 인생의 꽃을 피우는 시기를 말하며, 세 번째 30은 61~90세까지로 자녀들을 출가시키고 직장에서 은퇴하여 혼자서 의미 있는 생활을 개척하면서 인생의 보람을 느끼며 사회를 위해 일하는 시기를 말한다.

필자의 경우 인생의 후반전이 이제 막 시작되었다. 막판 유종의 미를 거두기 위해 나에게 남은 것은 최선을 다해서 현재를 열심히 사는 것뿐이다.

첫 번째 30은 어려운 어린 시절과 학창 시절임에도 불구하고 항상 웃으면서 긍정적인 태도로 살았고, 두 번째 30은 가족 부양과 더불어 사업 실패로 인하여 힘든 시간도 오래 겪었지만, 인생 후반전을 위한 준비로 N잡러 컨설턴트의 길을 50대에 시작하였다.

세 번째 30에 접어든 현재는 평생현역을 위해 향후 5-5-5-100을 목표로 학사과정 5번, 석사과정 5번, 박사과정 5번과 책 100권 출간을 비전으로 현재도 계속 공교육을 받고 있고 63권째 책 출간을 앞두고 있다.

2023년 8월 23일 3번째 학사인 한국방송통신대학교 교육학과 4학년을 졸업하면서 평생교육사 자격증을 취득한 후, 원격평생교육원 설립을 준비 중이며, 필자가 교수로 재직하고 있는 미국 캐롤라인대학교 경영학과 박사과정에 학생으로 입학하여 2024년 1월, 3번째 박사과정(경영학)을 수료하였다.

김형석 교수님이 말씀하신 3번째 30을 보람되게 보내기 위해 늦깎이지만 2024년 3월 이 책을 쓰면서도 4번째 학사에 편입해 대학생으로 계속 공부를 하려고 한다.

현재 캐롤라인대학교 경영학과 교수로 4년째 재직하고 있으며 총 17년째 대학 강의 경력을 이어가고 있다. 공교육뿐만이 아니라 미래 사회에서 필요로 하는 교육, 필자의 인생관과 부합되는 교육은 언제든지 배우려는 자세가 되어있다.

100세 시대를 맞으면서 매일 실천하고 있는 라이프워크는 매일 일자리 정보 10~20건을 수집해서 현재 23,000명의 SNS 친구들과 공유하는 것, 체력 증진을 위해 꾸준히 운동하는 것, 평생공부를 실천하여 언제나 교수이자 대학(원)생으로 교육현장에 계속 있는 것, 책 읽기와 책 쓰기를 매일 거르지 않고 실천하여 5-5-5-100(학사과정 5번, 석사과정 5번, 박사과정 5번, 종이책 100권 출간)을 달성하는 것이다.

2. 초고령사회와 평생현역 시대 도래

UN에서 정한 기준으로 볼 때 '노인'이란 65세 이상을 말하는데 전체 인구 중 65세 이상의 인구가 차지하는 비율에 따라 고령화사회(aging society), 고령사회(aged society), 초고령사회(super-aged society)로 구분한다.

	고령화사회	고령사회	초고령사회
전체 인구 중 65세 이상 고령 인구 비율	7% 이상 14% 미만	14% 이상 20% 마먼	20% 이상

출처: UN 세계인구고령화 1950-2050 보고서, 1950.

우리나라의 경우 2017년에 이미 고령사회에 진입하였고, 2026년 초고령사회에 진입할 것으로 보이나 그 진행 속도가 너무 빠르다 보니 이에 대해 발 빠르고 철저한 대비가 필요하다.

곧 도래할 초고령사회와 디지털 중심의 4차 산업혁명 시대는 평생현역 시대를 필요로 하고 있다.

이제 육체노동 중심의 일자리 시대가 막을 내리고 디지털 중심, 정신노동 중심의 일자리 시대로 패러다임이 전환되고 있다. 정신노동 중심 일자리는 '60세 정년', '65세 노인'이라는 기존의 획일화된 구분이 아니라 개개인이 노력하기에 따라 얼마든지 평생 일을 할 수 있는 시대이다.

빅데이터 기반의 인공지능 시대는 첨단 기술의 발전으로 인간이 직접 육체적으로 일하는 것보다 로봇이나 AI 시스템이 일을 대신해 줄 수 있기 때문에 육체적인 노동 중심의 정년이란 개념이 점차 사라지고 플랫폼 비즈니스처럼 정신적인 노동이 육체적인 노동을 갈음할 수 있는 시대로 패러다임이 전환될 것이다.

플랫폼 비즈니스는 시스템이 일을 해주기 때문에 인간은 관리, 감독만 잘한다면 얼마든지 평생현역으로 일할 기회가 주어지는 시대를 맞이하게 되는 것이다.

이러한 시대적 흐름인 메가트렌드를 정부 관료나 정치인들이 읽지 못하고 노동 개혁이나 국민연금 개혁 등을 추진하지 않는다면 이 사회가 제대로 된 방향으로 가는 계획을 세우기가 어려울 것이다.

이미 4차 산업혁명과 인공지능이 도래하는 사회의 모습이 육체노동 중심이 아니라 정신노동 중심으로 패러다임이 전환되고 있음에도 불구하고 기존 질서를 그대로 유지한다면 글로벌 시대에 낙오되는 상황을 맞이할 수도 있다는 것이다.

필자는 인생 30-30-30의 세 번째 30을 앞두고, 평생현역 시대를 예측하고 실감하면서 그에 맞는 일자리를 개척하고 있다. 예전같이 육체노동 중심이 아니라 정신노동 중심으로 사업적인 일을 바꾸면서 활발하게 활동 중이다.

정년이 지나 기존 일자리 현장에서 은퇴한 후 더 이상 일을 하지 않고 있는 선배들을 보고 있으면 안타깝다는 생각이 든다. 육체적으로나 정신적으로 건강하면서도 별다른 목표 없이 시간을 허비하는 것은 기존 우리 사회의 관습에 길들어져 있어 그럴 수도 있겠구나 하는 생각이 들기도 한다.

빠르게 변화하는 시대에 대처하지 못하고 4차 산업혁명 시대와 100세 시대, 곧 도래할 초고령사회까지 앞둔 상황에서 평생현역에 대한 깨달음을 갖느냐 갖지 않느냐에 따라 인생 후반기에 확연한 명암 차이가 날것임은 틀림이 없다 하겠다.

60세가 되어서 정년퇴직을 하고 주류 일자리에서 물러났다고 해서 목표나 의욕 없이 인생을 낭비하기에는 너무나 건강한 육체와 정신을 가지고 있기에 정년이나 은퇴 개념을 버리고 평생현역 시대의 도래를 적극적으로 받아들이는 것이 합리적이라 생각된다.

필자의 경우 40대 후반부터 미래를 준비하고 노력해 온 결과로 50대부터 N잡러를 지향하며 여러 직업을 경험하고 있다. 이미 한 일자리에서의 루틴에 젖어있는 사람들의 위험성을 알기에 늘 새로운 트렌드를 접하고 평생교육에 도전하여 새롭게 생겨나는 직업에 쉽게 적응하고 여러 직업들을 동시에 수행할 수 있는 멀티플레이형 N잡러가 되기 위해 현재도 열심히 최선을 다하고 있다.

이 책을 통해 많은 독자님들이 평생현역의 시대가 도래한다는 것을 기정사실로 받아들이고 100세 시대를 준비하는 것이 곧 4차 산업혁명 시대의 인생 방향성이라는 것을 깨우치는 계기가 되었으면 한다.

3. 저출산 초고령사회 인구 구조의 변화

우리나라의 지난해 합계출산율은 0.72명으로 역대 최저치를 기록한 가운데, 2024년 2월 28일 한국의 2023년도 4분기 합계 출산율이 사상 처음으로 0.6명대로 떨어진 것에 대해 영국 공영방송 BBC가 그 배경을 집중 조명하는 등 한국사회의 낮은 출산율이 세계적으로도 논란이 되고 있다.

2023년 5월 23일 한경비즈니스 이정흔 기자의 기사를 살펴보자.

"2006년 데이비드 콜먼 영국 옥스퍼드대 인구학 명예 교수가 유엔 인구 포럼에서 한국의 저출산 현상을 언급하며 '지금과 같은 상황이라면 한국은 지구상에서 사라지는 첫째 나라가 될 수 있습니다'라고 경고했는데 17년이 지난 지금, 그의 경고는 무섭게 빠른 속도로 '현실'이 되고 있다. 2022년 한국의 합계 출산율은 0.78명이다. 2013년부터 줄곧 경제협력개발기구(OECD) 국가 중 꼴찌다. 합계 출산율이 1명 미만인 나라는 한국이 유일하다. 2020년 사망자가 출생자보다 많은 '데드크로스'를 지난 한국의 인구는 지속적으로 감소 중이다. 감소 속도도 예상보다 빠르다. 2022년 기준 한국의 인구는 12만3000명 넘게 감소했다. 2021년에는 약 5만7000여 명 줄었다. 콜먼 교수는 옥스퍼드대 인구학 교수와 케임브리지 세인트 존스 칼리지 학장을 지내며 40년 이상 인구 문제를 연구한 세계 인구학 분야의 권위자다. 당시에도 한국의 저출산 문제는 심각한 상황이었지만 그의 경고를 귀담아듣는 이는 많지 않았다."

한편 한국은 이미 2017년에 고령사회에 들어섰고 2026년 초고령사회 진입을 앞두고 있으나 인구 고령화 진행 속도가 너무 빨라 이미 초고령사회에 접어든 지자체가 속출하고 있을 정도다. 초고령사회에 대한 준비가 필요하다.

2024년 3월 현재 한국의 베이비붐 세대(1955~1963년)는 약 720만 명이다. 전체 인구의 약 15%가 60세가 넘어 은퇴 시기에 접어들었고 세계에서 가장 낮은 저출산율과 세계에서 가장 빠른 고령화로 생산가능 인구가 급감하며, 세계에서 가장 먼저 소멸되는 국가가 될 것이라는 전망이 세계 학술계나 언론을 통해 나오고 있다.

2024년 3월 1일 CBS노컷뉴스 박희영 기자·주보배 수습기자의 기사를 살펴보자.

'가속 페달 밟힌 인구감소… '축소사회' 어떻게 살아갈까'

통계청 '장래인구추계: 2022~2072년'에 따르면 2022년 3,674만 명이던 생산연령인구(15~64세)는 50년 뒤인 2072년에는 1,658만 명으로 반토막 난다. 반면 같은 기간 65세 이상 고령인구는 898만 명에서 1,727만 명으로 늘어나 생산연령인구를 추월한다.

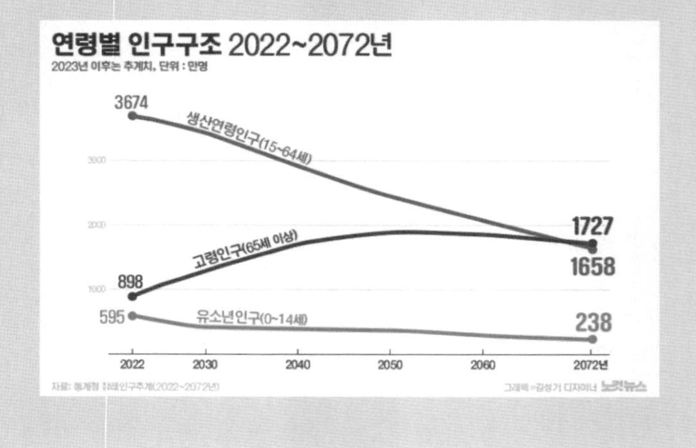

4. 고령친화산업과 초고령화 시대 유망사업 및 직업

한국이 고령사회로 진입하던 2017년, 필자는 차의과학대학교 대학원 고령친화산업학과에 최고령자로 입학해 정부의 고령친화전문인력 양성 국비 장학생으로 학업을 이수하였다. 2017년 3월부터 2019년 2월까지 2년간 인구 고령화에 따른 직업과 산업의 변화 등 시니어 트렌드에 대하여 많은 연구를 하였다. 특히 우리보다 먼저 초고령사회를 맞이한 일본의 사례를 여러모로 연구하고 분석하는 데 관심이 많았다.

사카모토 세쓰오의 《2020 시니어 트렌드》에 나타난 분야별 시니어 트렌드를 요약해 보면 다음과 같다.

① 돈
저금을 묵혀놓은 고령자 → 돈을 불려서 소비하는 새로운 어른

② 식생활
소박한 식사를 하는 고령자 → 육식을 좋아하는 새로운 어른

③ 엔터테인먼트
시대극을 좋아하는 고령자 → 엔터테인먼트를 즐기는 새로운 어른

④ 건강
병원에 다니는 고령자 → 예방·안티에이징·건강 관리를 하는 새로운 어른

⑤ 개호(한국의 건강보험)
개호 불안 고령자 → 개호 예방과 개호 공조의 기수

⑥ 여행
명소를 관광하는 고령자 → 멋진 어른의 여행

⑦ 자동차
운전면허를 반납하는 고령자 → 드라이브를 즐기는 새로운 어른

⑧ 패션
수수한 옷차림의 고령자 → 센스 있는 새로운 어른

⑨ 미디어
정보를 수동적으로 받아들이는 고령자 → 패션미디어·인터넷을 이용하는 새로운 어른

⑩ 주거
최후의 안식처를 증·개축하는 고령자 → 최고의 인생을 위한 리폼 디자인

⑪ 사회 공헌
보살핌을 받아야 하는 약자·수혜자 → 스스로 사회에 공헌하는 엘더

⑫ 라이프 스타일
여생을 조용히 보내는 고령자 → 새로운 라이프 스타일을 창조하는 새로운 어른

일본을 중심으로 살펴본 시니어 트렌드이지만 한국에서도 이와 유사하게 분야별 트렌드가 변화하고 있다.

앞서 언급한 것처럼 한국의 베이비붐 세대(1955~1963년)의 숫자는 약 720만 명으로, 전체 인구의 약 15% 정도를 차지한다. 2024년 기준 이들 대부분이 은퇴 시기에 접어들게 된다. 아직 은퇴하기에는 신체적으로도 건강하고, 정신적으로도 건강한 이들이 강제로 회사에서 밀려

나고 있는 것이다. 다들 처음으로 겪는 100세 시대라 은퇴 후 제2의 일자리와 일거리를 어디서 어떻게 찾아야 할지 막막하기만 할 것이다.

저출산·고령화로 생산가능인구가 급격히 줄어들며 중소기업이나 농촌은 일할 사람을 찾을 수 없어 외국인 근로자를 채용해 간신히 지탱하고 있지만 너무 빠른 속도로 진행되는 저출산·고령화는 한국 경제의 큰 위기로 다가오고 있다. 새로운 패러다임의 전환이 절실한 상황이다.

출처: 고령친화산업지원센터 누리집(https://www.khidi.or.kr/esenior)

초고령사회의 유망한 사업과 직업은 다음과 같이 예상해 볼 수 있다.

① 고령자복지주택사업
② 실버타운사업
③ 장기요양보험지원관련사업
④ 고령친화식품사업
⑤ 고령친화교육사업
⑥ 고령친화여행사업
⑦ 스마트홈
⑧ 디지털 헬스케어
⑨ 운동·재활서비스
⑩ 이동·정서지원 로봇사업
⑪ 노인성 질환 측정기기사업
⑫ 기타 고령친화산업지원센터 제품 및 서비스

5. 초고령사회에 대비해 반드시 준비해야 하는 것

첫째, 빠른 시일 내에 '경제적 자유'를 달성해야 한다.

최근에 MZ세대를 포함하여 젊은 사람들 가운데 '파이어족'을 추구하는 사람들이 있다. 파이어족은 경제적 자립을 통해 빠른 시기에 은퇴하려는 사람들을 일컫는데, 일반적인 취업 후 은퇴하는 구조가 아닌 자유로운 삶과 안정적인 재무까지도 확보하려는 목표를 가지고 있는 사람들이다. 젊은 시절에 이미 돈으로부터 독립된 경제적 자유를 추구하려는 사람들로, 20~40대에 큰 부를 이룬 사람들을 가리키지만 100세 시대까지는 너무 많은 세월이 남아있어 엄청나게 큰 부를 이루지 않는 사람들은 그렇게 많지 않을 것으로 보인다.

대부분의 사람들은 취업 후 통상 50~60대에 은퇴하는 경우가 많은데 어떻게 경제적 자유를 얻을 수 있을까? 60대 초반에 필자의 경제적 자유를 달성한 경험으로 볼 때 일정 금액 이상 연금을 확보해 두는 것이 가장 중요하다. 공무원, 교사, 군인연금 등을 정상적으로 30년 이상 납부하면 사람에 따라 조금씩 다르겠지만, 퇴직했을 때 어느 정도 생활에 필요한 연금을 확보할 수 있을 것이다.

일반 직장인의 경우 국민연금을 최대한으로 수급할 수 있도록 하고, 부족할 것으로 예상되면 퇴직연금, 개인연금으로 보완하고 그것도 부족하면 주택연금 또는 농지연금 등으로 연금을 탄탄하게 준비하여 경제적 자유를 얻는 것이 가장 중요하다. 추가로 연금처럼 보장된 것은 아니지만 급여는 적더라도 고정적인 월급을 받는 일자리나 지속적으로 돈이 들어올 수 있는 인세나 로열티 등을 받을 수 있는 플랫폼 사업 등을 확보해 놓는다면 경제적 자유를 달성하는 데 크게 도움이 될 것이다.

둘째, 일자리나 일거리를 계속 유지하도록 노력해야 한다.

부모에게 재산 상속을 받았거나 젊을 때 많은 돈을 저축한 파이어족이나 일반적인 월급을 30년 이상 받아 연금이 충분하여 경제적 자유를 확보하였다고 하더라도 100세 시대를 살아가는 데 있어 일자리나 일거리가 없으면 인생에 즐거움이 없지 않을까?

여기서 일자리와 일거리는 차이가 있는데, 일자리는 소득이 동반되는 일을 말하고 일거리는 사회공헌이나 봉사 등 소득이 동반되지 않는 일을 말한다. 나이가 들수록 일자리를 계속 유지하기는 쉽지 않을 것이고 65세 이상에 접어들면 일자리 자체가 많지 않을 것이다. 경제적 자유를 확보했다면 일자리와 일거리를 구별할 것 없이 소일거리도 좋으니 일을 계속하는 것이 건강에 좋다는 것은 누구나 알고 있는 사실이다.

10여 년 전 우리보다 먼저 고령화가 진행된 일본에 방문했을 때 일본증권거래소에서 증권을 세고 있는 나이 지긋한 분들을 본 적이 있는데 그분들이 젊은 시절 소위 잘나가는 분들이었다는 얘기를 듣고 깜짝 놀랐던 경험이 있다. 5년 전에 일본으로 여행을 갔을 때도 나리타공항이나 하네다공항에서 안내하는 분들이 대부분 노인인 것을 보고 나이가 들어도 왜 일을 해야 하는지, 일하면서 즐거움을 얻는 것이 얼마나 소중한지 알 수 있었다.

셋째, 신체적 건강 수명을 늘려야 한다.

경제적 자유를 확보하고 일자리나 일거리가 주어져도 신체적 건강이 뒷받침되지 않으면 아무것도 할 수가 없다. 은퇴 이후 아무리 시간이 많아도 신체적 건강이 따라주지 않으면 여행조차 다닐 수 없는 것이다. "건강을 잃으면 모든 것을 잃는다"는 말처럼 젊은 시절부터 건강 관리를 꾸준히 하는 것이 바람직하다. 살기가 힘들고 바빠서 건강 관리를 제대로 못 한 채 중년이나 노년을 맞이했다 하더라도 지금부터 신체 건강을 위해 운동을 하면 되는 것이다. 필자의 멘토 중 한 분인 이순국 회장님은 신호그룹 CEO로 평생을 일만 하다가 협심증으로 쓰러지고 나서야 자신의 건강을 위해 일흔의 나이에 운동을 시작했다고 한다. 82세인 현재 건강한 몸으로 운동 강연도 다니고 최근 3권의 책을 출간하기도 했다.

또 다른 멘토인 김형석 연세대 명예교수님은 집의 1, 2층을 일부러 오르내리면서 운동을 하여 104세의 나이에도 불구하고 강연을 다니고 집필 작업을 이어나가고 계신다.

신체적 건강을 위해서 무리 없이 할 수 있는 운동에는 걷기와 스쿼트, 달리기 같은 것들이 있다. 물론 신중년 이상 되시는 분들은 여유가 있으면 운동전문가를 통해 체계적으로 근력 운동을 하는 것을 권유하고 싶다.

넷째, 정신적 건강을 유지해야 한다.

신체적 건강도 중요하지만 정신적 건강도 그 못지않게 중요하다. 보건복지부 중앙치매센터에 따르면, 2019년 기준 78만 8,000명인 65세 이상 치매 인구는 2050년 302만 3,000명까지 증가할 것으로 추정된다고 한다. 치매나 알츠하이머병은 굳이 설명하지 않아도 알겠지만, 일단 발병이 되면 본인의 소중한 기억들을 모두 잃어버리는 무서운 질병이다. 요양병원에 입원해 죽음만을 기다리고 있는 치매 환자분들을 떠올려 보자. 정신적 건강을 잃어버리면 모든 것을 잃어버리는 것과 같다.

고령화사회는 치매 환자의 급증을 예고하고 있다. 미리미리 이런 상황에 대비하지 않으면 누구도 이를 피할 수 없다.

정신적 건강을 유지하려면 책을 읽고 공부를 하는 것이 좋다. 공부가 하기 싫을 경우에는 글을 써보는 것도 매우 좋은 방법이다. 또한 가급적 많이 웃자. 어떤 유튜브 방송에서는 '스마일'을 권하던데, 여기서 스마일이란 "스쳐도 웃고, 마주쳐도 웃고, 일부러 웃으라"는 말이라고 한다.

참고문헌

- 고령친화산업지원센터(https://www.khidi.or.kr/esenior)
- 폴 어빙 엮음(김선영 옮김), 《글로벌 고령화 위기인가 기회인가》, 글담출판사, 2017.
- 사카모토 세쓰오(김정환 옮김), 《2020 시니어 트렌드》, 한스미디어, 2016.
- 이정흔 기자, '한국 인구 소멸 1호 국가' 지목한 콜먼 옥스퍼드대 교수 "한국 출산율 높이려면…" [비즈니스 포커스], 한경비즈니스, 2023.05.23.

저자소개

김영기 KIM YOUNG GI

학력

- 영어영문학 학사·사회복지학 학사·교육학 학사 졸업
- 신문방송학 석사·고령친화산업학 석사 수료
- 부동산경영학 박사·사회복지상담학 박사 수료·경영학 박사 수료

경력

- 미국 캐롤라인대학교 경영학과 교수
- KCA한국컨설턴트사관학교 총괄교수
- KBS면접관 / KPC 부설 '한국사회능력개발원' 면접관교육 총괄교수
- 정보통신산업진흥원 등 10여 개 기관 심사평가위원
- 소상공인시장진흥공단 소상공인 컨설턴트
- 중소기업중앙회 노란우산 경영지원단 자문위원
- 서울시·중앙대·남서울대·경남신보 창업 전문 강사
- 중앙대·경기대·세종대·강남대·한국산업기술대 강사 역임

자격

- 경영지도사·국제공인경영컨설턴트(ICMCI CMC)
- 채용면접관 1급 자격증·HR전문면접관(1급)자격증
- 창업지도사 1급·창직컨설턴트 1급·브레인컨설턴트
- ISO국제선임심사원(ISO9001, ISO14001, ISO27001)
- 사회복지사·요양보호사·평생교육사

저서

- 《부동산경매사전》, 일신출판사, 2009. (김형선 외 4인 공저)
- 《부동산용어사전》, 일신출판사, 2009. (김형선 외 4인 공저)
- 《부동산경영론연구》, 아이피알커뮤니케이션, 2010. (김영기)
- 《성공을 위한 리허설》, 행복에너지, 2012. (김영기 외 20인 공저)
- 《억대 연봉 컨설턴트 프로젝트》, 시니어파트너즈, 2013. (김영기)
- 《경영지도사 로드맵》, 시니어파트너즈, 2014. (김영기)
- 《메타 인지 학습 : 브레인 컨설턴트》, e경영연구원, 2015. (김영기)
- 《메타 인지 학습 : 진짜 공부 혁명》, e경영연구원, 2015. (양영종 외 2인 공저)
- 《창업과 경영의 이해》, 도서출판 범한, 2015. (김영기 외 1인 공저)
- 《NEW 마케팅》, 도서출판 범한, 2015. (변명식 외 3인 공저)
- 《브레인 경영》, 도서출판 범한, 2016. (김영기 외 7인 공저)
- 《저작권 진단 및 사업화 컨설팅(서진씨엔에스, 쿠프, 아이스페이스)》, 충청북도지식산업진흥원, 2017. (김영기)
- 《저작권 진단 및 사업화 컨설팅(와바다다)》, 강릉과학산업진흥원, 2018. (김영기)
- 《공공기관 합격 로드맵》, 브레인플랫폼, 2019. (김영기 외 20인 공저)
- 《브레인경영 비즈니스모델》, 렛츠북, 2019. (김영기 외 6인 공저)
- 《저작권 진단 및 사업화 컨설팅(파도스튜디오)》, 강릉과학산업진흥원, 2019. (김영기)
- 《2020 소상공인 컨설팅》, 렛츠북, 2020. (김영기 외 9인 공저)
- 《공공기관·대기업 면접의 정석》, 브레인플랫폼, 2020. (김영기 외 20인 공저)

- 《인생 2막 멘토들》, 렛츠북, 2020. (김영기 외 17인 공저)
- 《4차 산업혁명 시대 AI 블록체인과 브레인경영》, 브레인플랫폼, 2020. (김영기 외 21인 공저)
- 《재취업전직지원서비스 효과적 모델》, 렛츠북, 2020. (김영기 외 20인 공저)
- 《미래 유망 자격증》, 렛츠북, 2020. (김영기 외 19인 공저)
- 《창업과 창직》, 브레인플랫폼, 2020. (김영기 외 17인 공저)
- 《경영기술컨설팅의 미래》, 브레인플랫폼, 2020. (김영기 외 18인 공저)
- 《공공기관 합격 노하우》, 브레인플랫폼, 2020. (김영기 외 20인 공저)
- 《신중년 도전과 열정》, 브레인플랫폼, 2020. (김영기 외 18인 공저)
- 《저작권 진단 및 사업화 컨설팅(더웨이브컴퍼니)》, 강릉과학산업진흥원, 2020. (김영기)
- 《4차 산업혁명 시대 및 포스트 코로나 시대 미래비전》, 브레인플랫폼, 2020. (김영기 외 18인 공저)
- 《소상공인&중소기업컨설팅》, 브레인플랫폼, 2020. (김영기 외 15인 공저)
- 《미래 유망 기술과 경영》, 브레인플랫폼, 2021. (김영기 외 21인 공저)
- 《공공기관 채용의 모든 것》, 브레인플랫폼, 2021. (김영기 외 21인 공저)
- 《신중년 N잡러가 경쟁력이다》, 브레인플랫폼, 2021. (김영기 외 22인 공저)
- 《안전기술과 미래경영》, 브레인플랫폼, 2021. (김영기 외 21인 공저)
- 《퇴직전문인력 일자리 활성화를 위한 '경영지도 및 진단전문가' 모델 사례연구》, 한국연구재단, 2021. (김영기)
- 《창직형 창업》, 브레인플랫폼, 2021. (김영기 외 17인 공저)
- 《신중년 도전과 열정 2021》, 브레인플랫폼, 2021. (김영기 외 17인 공저)
- 《기업가정신과 창직가정신 그리고 창업가정신》, 브레인플랫폼, 2021. (김영기 외 12인 공저)
- 《4차 산업혁명 시대 AI 블록체인과 브레인경영 2021》, 브레인플랫폼, 2021. (김영기 외 8인 공저)

- 《ESG경영》, 브레인플랫폼, 2021. (김영기 외 23인)
- 《메타버스를 타다》, 브레인플랫폼, 2021. (공저)
- 《N잡러 시대, N잡러 무작정 따라하기》, 브레인플랫폼, 2021. (김영기 외 15인)
- 《10년 후의 내 모습을 상상하라》, 브레인플랫폼, 2022. (김영기 외 10인)
- 《공공기관 채용과 면접의 기술》, 브레인플랫폼, 2022. (김영기 외 19인)
- 《N잡러 컨설턴트 교과서》, 브레인플랫폼, 2022. (김영기 외 25인)
- 《프롭테크와 메타버스 NFT》, 브레인플랫폼, 2022. (김영기 외 11인)
- 《팔도강산 팔고사고》, 브레인플랫폼, 2022. (공저)
- 《정부·지자체의 창업지원금 및 지원제도의 모든 것》, 브레인플랫폼, 2022. (김영기 외 10인)
- 《미래를 위한 도전과 열정》, 브레인플랫폼, 2022. (김영기 외 6인)
- 《AI 메타버스시대 ESG 경영전략》, 브레인플랫폼, 2022. (김영기 외 24인)
- 《퇴직전문인력 일자리 활성화를 위한 경영지도 및 진단전문가 모델 사례연구》, 유페이퍼, 2022. 김영기
- 《창업경영컨설팅 현장사례》, 브레인플랫폼, 2022. (공저)
- 《채용과 면접 교과서》, 브레인플랫폼, 2023. (공저)
- 《100세 시대 평생교육 평생현역》, 브레인플랫폼, 2023. (김영기 외 15인)
- 《모빌리티 혁명》, 브레인플랫폼, 2023. (김영기,이상헌 외 9인)
- 《평생현역 N잡러 도전기》, 브레인플랫폼, 2023. (김영기 외 14인)
- 《미래 유망 일자리 전망》, 브레인플랫폼, 2023. (김영기 외 19인)
- 《창업경영컨설팅 방법론 및 사례》, 브레인플랫폼, 2023. (김영기 외 13인)
- 《AI시대 ESG 경영전략》, 브레인플랫폼, 2023. (김영기 외 11인)
- 《평생현역을 위한 도전과 열정》, 브레인플랫폼, 2023. (김영기 외 9인)
- 《멘토들과 함께하는 인생 여정》, 브레인플랫폼, 2024. (김영기 외 8인)
- 《ESG경영 사례연구》, 브레인플랫폼, 2024. (김영기 외 13인)
- 《초고령사회 산업의 변화》, 브레인플랫폼, 2024. (김영기 외 8인)

수상

- 문화관광부장관표창(2012)
- 대한민국청소년문화대상(2015)
- 대한민국교육문화대상(2016)
- 대한민국신지식인(교육분야)인증(2020)

제2장

초고령화 시대, 자율주행의 가치

유민상

1. 자율주행 자동차 산업 현황

구글이 최초로 공개한 무인 자율주행 자동차

출처: Google

지난 2014년 구글은 세상에 무인 자율주행 자동차를 처음으로 공개했다. 핸들과 브레이크, 액셀 페달이 없는 새로운 개념의 자동차가 등장하자 전 세계는 열광했다. 하지만 그로부터 10년이 지난 2024년 현재 당신은 이 책을 사러 서점에 올 때 자율주행 자동차를 타고 왔는가? 아니, 자율주행 자동차를 실제로 타보기는 했는가?

자율주행 자동차의 단계는 미국자동차공학회(SAE)에서 개발한 J3016이라는 표준에 의해 분류 및 정의되어 있다. 레벨0인 완전수동주행 자동차부터 레벨5인 완전자율주행 자동차까지 총 6가지로 그 단계를 구분하고 있으며, 현행 법규상 레벨3 이상을 자율주행 자동차라고 정의하고 있다.

자율주행차의 레벨별 정의(미국 SAE 기준)

< 운전 자동화의 단계적 구분 >

레벨 구분	Level 0	Level 1	Level 2	Level 3	Level 4	Level 5
	운전자 보조 기능			자율주행 기능		
명칭	無 자율주행 (No Automation)	운전자 지원 (Driver Assistance)	부분 자동화 (Partial Automation)	조건부 자동화 (Conditional Automation)	고도 자동화 (High Automation)	완전 자동화 (Full Automation)
자동화 항목	없음(경고 등)	조향 or 속도	조향 & 속도	조향 & 속도	조향 & 속도	조향 & 속도
운전주시	항시 필수	항시 필수	항시 필수 (조향핸들 상시 잡고 있어야함)	시스템 요청시 (조향핸들 잡을 필요X 제어권 전환시만 잡을 필요)	작동구간 내 불필요 (제어권 전환X)	전 구간 불필요
자동화 구간	-	특정구간	특정구간	특정구간	특정구간	전 구간
시장 현황	대부분 완성차 양산	대부분 완성차 양산	7~8개 완성차 양산	1~2개 완성차 양산	3~4개 벤처 생산	없음
예시	사각지대 경고	차선유지 또는 크루즈 기능	차선유지 및 크루즈 기능	혼잡구간 주행지원 시스템	지역(Local) 무인택시	운전자 없는 완전자율주행

출처: 국토교통부

지난 2020년 일본의 자동차 제조사인 혼다가 일본 정부로부터 전 세계 최초로 레벨3 자율주행 자동차 인증을 받았으며, 뒤이어 메르세데스-벤츠가 2021년 독일 정부로부터 레벨3 자율주행차 인증을 받은 바 있다. 하지만 혼다는 100대 한정 생산에 그쳤고, 벤츠 또한 지난 2022년 말부터 고객 주문을 개시한 상황이기에 아직 상용화되었다고 평가하기는 어려운 수준이다. 상기 2개 제조사 외에 전 세계의 그 어떤 자동차 제조사도 아직 자율주행 자동차를 출시하지 못하고 있다.

아우디는 2017년 제도 미비 등을 이유로 자율주행 자동차를 포기한다고 선언하였고, 포드와 폭스바겐은 5조 원이라는 거액을 투자한 자율주행 전문기업 아르고AI를 지난 2023년 수익성을 이유로 폐업하기에 이르렀다. 신규 플레이어로 주목을 받았던 미국의 무인배송 자율주행 전문기업 Nuro 또한 지난 2020년 전 세계 최초로 미국 정부로부터 자율차 한정생산허가(연간 2,500대)를 받았지만, 2024년 현재까지도 양산이 진행되지 않고 있다.

상황이 이렇다 보니 이제는 자율주행 회의론까지 등장하고 있다. 자율주행이 정말 상용화가 가능한 기술이냐? 투자만 하다 끝나버리는 실패작이 아니냐는 것이다. 하지만 그럼에도 불구하고 글로벌 컨설팅 업체인 맥킨지(Mckinsey)에 따르면, 2040년 기준 자율주행차 판매액은 1,300조 원, 관련 모빌리티 시장의 규모가 1,600조 원에 이를 것으로 전망되고 있다.

GM의 자율주행 사업부(GM Cruise)의 2022년 9월 발표에 따르면, 일일 손실액이 −69억 원임에 불구하고, 이 시장의 가능성을 보고 투자를 계속 진행할 것이라고 밝힌 것이 자율주행차의 가능성을 대변해 주는 예시라고 볼 수 있다. 어려운 현실에도 불구하고 도대체 왜, 무엇을 위해서 자율주행차 시장이 이처럼 커다란 시장으로 예측되는 것일까?

2. 인구 고령화와 사회 문제

전 세계는 지금 매우 빠르게 고령사회로 진입하고 있다. 특히 한국의 고령화 속도가 매우 빠르게 진행되고 있는데 2019년 통계청에서 발표한 자료에 따르면, 대한민국의 고령 인구 구성비 추이는 2020년 중반부터는 세계 추이의 2배 이상에 이르러, 2040년에는 3배 이상이 될 것으로 예측되고 있다. 65세 이상 인구가 전체의 20% 이상을 차지하면 '초고령사회'로 분류되는데, 우리나라가 초고령사회 진입을 눈앞에 두고 있는 것이다.

세계와 한국의 고령 인구 구성비 추이

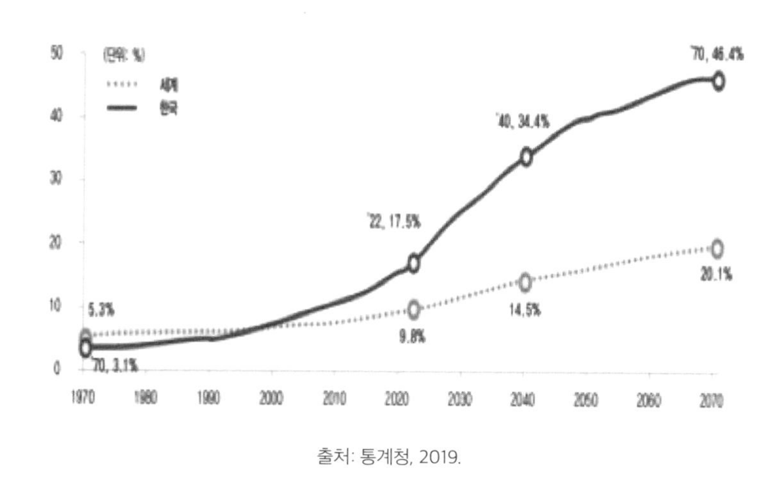

출처: 통계청, 2019.

초고령사회로 진입하게 되면 사회, 경제적으로 다양한 문제가 발생하는데, 특히 일반 국민에게까지 큰 영향을 미칠 것으로 예상되는 분야가 바로 '대중교통'이다.

한국교통안전공단의 자료에 따르면, 2023년 기준 서울시 택시 기사의 50.39%가 65세 이상인 고령 인구이며, 개인택시 기사의 평균 연령은 64.6세, 법인택시 기사의 평균연령은 63.1세라고 한다. 이를 전국 통계로 확대해 봐도 65세 이상인 기사가 45%(10만7,947명)이며, 특히 개인택시 기사는 52%(8만4,954명)에 이른다.

택시가 아닌 버스의 경우에도 이런 고령화 추세가 유사하게 나타나고 있는데 버스 기사 부족으로 인해 버스가 운행되지 못하거나 노선이 사라지는 현상이 나타나고 있는 것이다. 충북의 경우, 60대 이상 기사의 비율이 61.6%에 이르고, 그중 80대가 4명이나 된다.

우리보다 먼저 고령사회에 진입한 일본의 경우를 살펴보자. 후생노동성 자료에 따르면 2022년 기준 택시 기사의 평균연령은 58.3세이고, 버스는 이미 기사 부족으로 노선 폐지가 잇따르는 중이다. 후쿠오카에서는 32개 노선이 사라지거나 단축되었고, 나가사키와 오사카에서는 16개의 노선의 폐지가 진행 중이다. 더욱이 2017년 기준 65세 이상 인구 비율이 28%에 달하는 일본의 경우 저출산·고령화로 2040년까지 전체 지방자치단체의 절반이 넘는 896개가 소멸할 것으로 예상된다.

이 소멸의 결정적인 원인이 바로 대중교통의 단절인데, 운전기사들의 고령화와 도심 편중 현상이 심화되면서 차가 있어도 운행할 사람이 없는 문제가 발생하기 때문이다. 즉 택시 및 버스 기사의 고령화와 감소는 국민의 이동권 보장을 흔들며, 일상의 붕괴라는 사회문제로 대두되고 있다.

3. 자율주행이 만들어갈 미래

이러한 이동권 문제를 위해 주목받고 있는 분야가 바로 '자율주행'이다. 레벨4 이상의 자율주행 자동차에는 운전자가 필요하지 않기 때문에 기사 인력의 급감이나 지역 및 국가에 상관없이 대중교통을 운행할 수 있어서 국민의 이동권 보장을 위한 유력한 미래 기술로 대두되고 있다. 때문에 레벨4 자율주행 자동차의 법규(안전기준)가 전 세계적으로 제정되지 않은 현재 상황에서도 초고령사회의 사회적 문제 해결에 우선순위를 둔 국가들은 자율주행 자동차 상용화에 앞장서고 있다.

독일은 지난 2021년 전 세계 최초로 레벨4 자율주행 자동차를 기업 간 거래(B2B)할 수 있는 법안을 공포하였는데, 이 목적을 '대중교통'과 '물류'로 한정하였다. 뒤이어 일본은 지난 2023년 도로교통법을 개정하여 '대중교통'과 '물류'로 사용하는 경우에 한해 레벨4 자율주행 자동차의 도로주행 제한을 해지하였다. 우리나라도 지난 2024년 2월 자율주행차법 개정안이 국회를 통과하여 내년부터 기업 간 레벨4 자율차

거래가 가능하게 되었으며, 이를 통해 레벨4 자율차의 상용화를 앞당겨 국민의 이동권이 개선될 것으로 기대되고 있다.

2023년 글로벌 자율주행 기술 순위

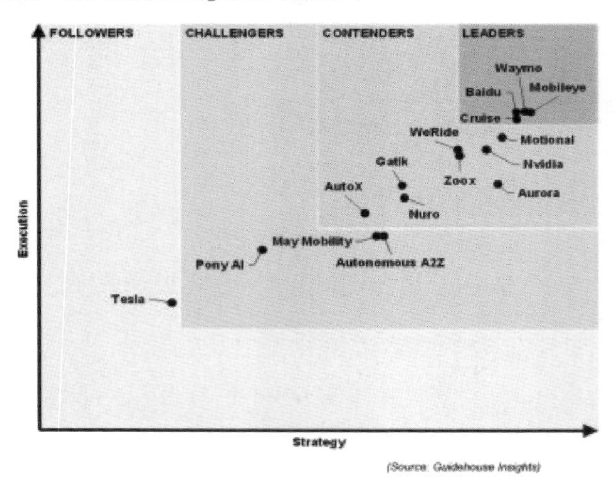

출처: 가이드하우스 인사이트

산업계 역시 이에 맞추어 발 빠르게 움직이고 있는 것을 볼 수 있다. 지난 2023년 3월에 발표된 글로벌 컨설팅펌인 가이드하우스 인사이트의 '글로벌 자율주행 기술 순위' 15위까지 랭크된 기업들을 살펴보면, 위라이드, 죽스, 뉴로, 오토노머스에이투지 등 절반에 이르는 기업들이 무인 셔틀 플랫폼을 제작하고 있다.

또한 글로벌 시장조사기관인 프로스트앤설리번(Frost&Sulivan)의 '2019년 자율주행시장동향분석보고서'에서도, 2030년에는 버스의

50%, 택시의 25%가 자율주행 자동차로 운행될 것으로 전망하고 있다. 즉 우리의 삶에서 자율주행 자동차의 상용화를 체감할 수 있는 분야는 대중교통 영역인 것이다.

물론 아직 논란들은 남아있다. 자율주행차의 안전기준이 제정되지 않은 상황에서 이를 일반 국민들의 운송수단으로 사용하는 것이 맞는지, 사고 시 보험제도나 적절한 과실판단 정책들은 마련되어 있는지 등 명확히 답변이 어려운 문제들이 있다. 하지만 역사적으로 볼 때 누구도 가보지 않은 길을 처음으로 가는 혁신의 길목에는 언제나 반복되어왔던 논란이다. 주요 운송수단이 말이 끄는 '마차'에서 엔진이 있는 '내연기관 자동차'로 바뀌던 1865년, 영국에서는 내연기관 자동차를 규제하는 '붉은 깃발법'을 제정했었다. 자동차는 도심에서 시속 3*km* 이상으로 속도를 낼 수 없으며 그 전방 50m 앞에 붉은 깃발을 든 사람 셋이 걸어가면서 자동차가 온다는 것을 알리도록 해야 한다는 법이다. 혹자는 이를 규제라고 비판하지만, 국민의 안전을 우선해야 하는 국가에서는 이 세상에 처음으로 등장한 자동차를 상용화하기 위한 최소한의 안전대안이었을 것이다. 이후 기술 발전을 통해 내연기관이 확산되고 자동차 산업이 성장하자 1890년대에 들어서 폐지되었다.

역사는 반복되듯이 지금의 시대 또한 과거와 크게 다르지 않다고 생각한다. 자율주행 자동차라는 새로운 패러다임이 이 세상에 등장했고, 이것이 바로 고령화 시대로 진입하는 우리 사회에 이동의 자유를 보장할 유력한 대안이다. 즉 궁극적으로 우리가 지켜내야 할 것은 '규제'가 아닌 '국민의 이동권'인 것이기에 시행착오를 거쳐서라도 자율주행 시대로 나아가기 위해 계속 도전할 필요가 있는 것이다.

운전면허를 처음 취득한 운전자가 처음에는 미숙하게 도로를 주행하지만 주행거리가 늘어나면서 운전 실력이 안정화되어 가듯이, 운전자를 대신하는 자율주행 자동차 또한 처음에는 서툴지만 보행자나 다른 차량의 돌발행동 등 일반도로에서 벌어지는 수많은 엣지케이스(Edge case)들을 학습하고 대응법을 개선해 가야만 안정화되어 갈 수 있다.

요약하면 초고령 사회로의 진입은 우리 사회가 나아가고 있는 자연스러운 흐름이고, 이에 따라 야기될 다양한 사회, 경제적 문제 중 기사 인력의 고령화와 감소는 국민의 이동권 보장을 위해 반드시 해결해야 할 과제이다. 이에 대한 대안으로 자율주행 자동차가 부각되고 있지만 아직 안전기준조차 제정되지 않았기에 실제 이용하는 일반 대중들이 이를 받아들일 수 있도록 사회적 수용성의 향상이 선행되어야 한다. 따라서 대중교통과 물류 분야를 자율주행 자동차의 첫 포문을 여는 영역으로 활용하는 것은 기술의 혁신과 사회적 혁신이 발맞추어 함께 나아가는 바람직한 시도라고 생각한다.

또한 자동차의 사고는 탑승객에게 영향을 끼칠 뿐 아니라, 보행자와 타 차량 운전자 등 제3의 도로이용자에게 영향을 끼치기 때문에 이들이 자율주행 자동차의 공공도로 운행에 대해 수용할 수 있는 측면에서도 사회적 수용성 향상이 필수불가결한 요소이다.

이를 위해서는 상용화를 추진하는 정부뿐만 아니라, 실제 자율주행 자동차가 필요한 구간과 서비스에 대한 시민단체와 운수업계의 의견 수렴도 중요한 요소이다. 운전기사가 부족해 대중교통의 불편함을 겪고 있는 구간이라든지, 수요가 많지 않아 운행이 제한되고 있는 소외 지역 구간이라든지, 대중들의 불편함을 해소하고 삶의 질을 향상해 줄 수 있는 영역부터 자연스럽게 자율주행 기술이 녹아든다면, 그것이야말로 사회적 수용성을 자연스럽게 향상시킬 수 있는 바람직한 방안이 될 것이라 생각한다.

기업을 중심으로 살펴보면, 국제적으로 모든 분야에서 ESG경영은 이제 필수 전략으로 자리를 잡아가고 있다. 기업들의 ESG경영 전략은 곧 그 회사의 중장기 비전이며 주주에게 기업 평가의 척도가 되어가는 추세로 기업 가치에도 큰 영향을 미치고 있다. 과거 소비자들이 기업의 수익과 제품을 중점으로 기업을 평가했다면 이제는 기업이 이윤을 창출하는 방식과 지속가능성에 그 초점이 이동하고 있다. 이러한 측면에서 자율주행 자동차는 미래 모빌리티의 변혁의 중점이 될 핵심 기술일 뿐만 아니라 지속가능한 사회를 이루어 나갈 핵심 대안이 될 것이라 예상된다.

그리고 사회를 중심으로 살펴보면, 초고령사회에서 건강하고 행복하게 늙는 '웰에이징(Well-aging)'은 시대의 화두이자 모두의 바람이다. 따라서 사회 전체의 측면에서 본다면, 구성원 모두가 나이가 들어도 기본권의 자유가 보장될 수 있는 시스템을 구축하는 것이 사회적 웰에이징이 아닐까 싶다. 자율주행 자동차가 이러한 사회적 웰에이징의 수단으로 활용되어 모빌리티 패러다임의 전환이라는 대변혁을 부드럽게 이끌어 내기를 기대해 본다.

참고문헌

- Viktor Mayer-Schönberger, Kenneth Cukier, 〈Big Data: A Revolution That Will Transform How We Live, Work, and Think〉, 2013.
- 김영기, 유민상 외, 《모빌리티 혁명》, 브레인플랫폼, 2023.
- McKinsey & Company, 〈Monetizing car data: New service business opportunities for OEMs〉, 2016.
- Boston Consulting Group, 〈Revolutionary Change is Coming to the Automotive Industry〉, 2016.
- 대한민국 국토교통부, 〈미래를 향한 멈추지 않는 혁신, 모빌리티 혁신 로드맵〉, 2022.
- Minsang Yu, 〈Development of management strategy through analysis of adoption intention and influence factors of autonomous vehicles (Focusing on value-based adoption models)〉, Doctoral dissertation, Swiss School of Business and Management Geneva, 2021.
- 서은비, 김휘강, 〈자율 주행 차량의 In-Vehicle 시스템 관점에서의 공격 시나리오 도출 및 대응 방안 연구〉, 2018.
- Frost&Sullivan, 〈Automotive Vision 2030〉, 2022.
- Werther, W. B. & Chandler, D. 〈Strategic corporate social responsibility: Stakeholders in a global environment. Thousand Oaks, CA: Sage〉, 2006.

저자소개

유민상 YU MIN SANG

학력

- 성균관대학교 화학공학부 학사 졸업(공과대학 수석 졸업)
- 스위스비즈니스스쿨 경영학과 박사 졸업(경영학과 수석 졸업)

경력

- 현) 오토노머스에이투지 미래전략실 CSO(최고전략책임자)
- 전) 경기대학교 ICT융합학부 겸임교수
- 전) 현대자동차 연구개발기획조정실 책임연구원
- 자율주행 자동차 융복합 미래포럼 제도분과 위원
- 미래모빌리티 협력위원회 자율주행분과 부위원장

자격

- ISO 26262 전문가 / ISO 27001 심사관
- TESOL(Anaheim University)
- CDL Lecturer(International Computer Driving License Asscociation)
- TRIZ LV2(International TRIZ Association)

• 창업지도사 1급

저서

•《AI시대 ESG 경영전략》, 브레인플랫폼, 2023 (공저)
•《창업경영 컨설팅 방법론 및 사례》, 브레인플랫폼, 2023 (공저)
•《미래 유망 일자리 전망》, 브레인플랫폼, 2023 (공저)
•《모빌리티 혁명》, 브레인플랫폼, 2023 (공저)
•《자율주행 실도로 실증서비스 및 안전운영 방안에 관한 연구》, 경기연구원, 2022 (공저)
•《Development of management strategy through analysis of adoption intention and influence factors of autonomous vehicles(Focusing on value-based adoption models)》, Swiss School of Business and Management Geneva, 2021.

수상

• 산업부장관 표창 / 자율주행 산업 생태계 육성 유공(2022)
• 국무총리 표창 / 자율주행 산업발전 및 혁신 유공(2021)
• 자동차안전연구대상 / 학술적 업적을 통한 자동차 기술발전 및 정책수립(2021)
• 경제부총리 표창 / 자율주행 혁신성장 정책 제안(2020)
• 국회입법조사처장상 / 자동차 신기술을 활용한 입법정책 제안(2019)

제3장

인구 절벽 시대, 고령 인구 활용 방안

김효정

1. 서론

21세기는 저출산과 고령화라는 두 가지 거대한 인구 변화의 물결을 맞이하고 있습니다. 이는 세계적인 현상이지만, 특히 한국은 빠른 속도로 고령화사회에 진입하고 있으며, 이는 사회 전반에 걸쳐 다양한 변화를 가져오고 있습니다.

세계 인구는 20세기 후반까지 급증했지만, 최근 들어 증가율이 감소하고 있으며, 앞으로는 감소 추세가 가팔라질 것으로 예상됩니다. 더욱이 출산율 감소와 기대수명 증가는 고령화사회라는 새로운 현상을 야기하고 있습니다.

특히 한국은 세계에서도 가장 빠르게 고령화사회 진입을 앞둔 국가 중 하나입니다. 2025년에는 65세 이상 인구 비율이 20%를 넘어 초고령사회에 진입하게 될 것으로 예상되며, 2050년에는 30%를 넘어설 것으로 전망되고 있습니다. 또한 고령화를 넘어서서 급격한 인구 감소로 인구 절벽 시대가 도래했다고 이야기하기도 합니다. 인구 절벽은 사회, 경제, 문화, 정치 등 모든 분야에 걸쳐 엄청난 변화를 가져올 것입니다.

고령화사회는 노동력 부족, 사회 안전망 확대에 따른 재정 부담 증가, 의료 및 복지 서비스 수요 증가 등 다양한 문제점을 야기합니다. 이러한 문제점을 해결하기 위해서는 고령층의 사회 참여를 확대하고, 그들의 경험과 지식을 활용하는 방안을 마련해야 한다고 생각합니다. 고령화사회는 단순히 문제만을 가져오는 것이 아니라 새로운 기회를 제공하기도 합니다. 고령층의 건강 증진과 삶의 질 향상을 위한 노력은 새로운 산업 분야를 창출할 수 있으며, 그들의 경험과 지식은 사회 발전에 기여할 수 있습니다.

이 장에서는 세계와 한국의 인구 증가율 감소에 따른 고령 인구 활용 방안에 대해 다각적인 측면에서 사회 발전에 기여할 수 있는 효과적인 정책과 프로그램을 제시해 보고자 합니다.

년도	한국 인구 증가세 변화		세계 인구 증가세 변화	
	인구(백만명)	증가율(%)	인구(억명)	증가율(%)
1950	20.2	-	25.3	-
1960	24.9	23.3	30.4	20.2
1970	31.4	26.1	37.0	21.7
1980	37.4	19.1	44.5	20.3
1990	42,7	14.2	52.6	18.2
2000	47.9	12.2	60.8	15.6
2010	50.0	4.4	68.9	13.3
2020	51.8	3.6	78.0	13.2
2023	51.2	-1.2	80.8	3.6

출처: 통계청(https://kostat.go.kr), 유엔(https://ko.wikipedia.org)

2. 다가오는 인구 절벽: 한국사회의 현황과 시사점

2022년 기준 한국의 합계출산율은 0.8명으로 OECD 국가 중 최저 수준입니다. 이는 한 여성이 평균적으로 일생 동안 낳는 자녀 수가 0.8명이라는 것을 의미하며, 인구 유지 수준인 2.1명을 크게 밑도는 수치입니다. 또한 사망률 증가와 평균 수명 증가로 인해 한국사회는 빠르게 고령화되고 있습니다. 2022년 기준 한국의 고령화율(65세 이상 인구 비율)은 16.7%이며, 2050년에는 30%를 훌쩍 넘어설 것으로 예상됩니다.

한국의 인구는 2020년부터 감소하기 시작했으며, 앞으로 더욱 빠르게 감소할 것으로 예상됩니다. 통계청 중위 추계에 따르면 한국의 인구는 2050년에는 5,200만 명 수준으로 2020년 대비 1,300만 명 정도가 감소할 것으로 전망됩니다. 2024년 기준 무려 147개의 초등학교에 입학하는 1학년 학생이 단 한 명도 없다는 사실은 인구 절벽이 먼 이야기가 아니라 바로 눈앞에 다가와 있다는 것을 실감하게 합니다.

인구 감소와 노령화는 노동력 부족을 심화시킬 것입니다. 경제 성장 둔화, 생산성 감소, 사회 안전망 유지 어려움 등 다양한 문제를 야기할 것이며, 의료, 연금, 복지 서비스 등 사회 보장 시스템에 대한 부담을 크게 증가시킬 것입니다. 또한 재정 악화, 세금 인상, 사회 갈등 심화 등의 문제도 야기할 것으로 보입니다.

인구 감소는 특히 지방 지역에서 심각하게 나타날 것입니다. 이는 지역 경제 쇠퇴, 인프라 유지 어려움, 문화 공동체 해체 등의 문제를 야기할 것입니다.

이처럼 고령화가 가속화되고 있는 상황 속에서도 기회가 있다고 볼 수 있는 여러 가지 지표들이 있습니다. 2023년 12월 기준, 국가별로 65세 이후에도 계속 일할 의지가 있는지 조사한 결과, 한국이 가장 높은 것으로 집계되었습니다. 그리고 계속 일을 하려는 주요 이유는 경제적 어려움, 건강 유지, 사회 참여 순으로 나타났습니다.

주요 국가별 비교

국가	65세 이후 일할 의지 비율	주요 이유
한국	58.2%	경제적 어려움, 건강 유지, 사회 참여
일본	52.1%	경제적 어려움, 건강 유지, 사회 참여
미국	46.3%	개인 선택, 경제적 어려움, 건강 유지
독일	40.5%	개인 선택, 경제적 어려움, 건강 유지
영국	34.7%	개인 선택, 경제적 어려움, 건강 유지

출처: 각 나라의 통계청(한국, 일본, 미국, 독일)

2023년 12월 기준으로 주요 국가별 고령 인구(65세)의 전후 급여 차이를 비교해 보면, 한국이 65세 이전 급여 대비 65세 이후 급여 감소 비율이 32.4%로 가장 높은 것으로 나타났습니다. 주된 이유는 정년 연장으로 인한 노동력 감소로 급여 감소, 연령 차별이 주요 원인으로 나타나고 있으며, 일본이나 독일은 한국과 유사한 경향을 보이지만, 한국보다는 급여 감소 비율이 다소 낮게 나타났습니다. 미국과 영국은 개인 선택의 영향이 큰 편이나 정년 연장과 연령 차별도 급여 감소에 영향을 미치고 있는 것으로 보입니다.

주요 국가별 비교

국가	65세 전후 급여 차이	주요 이유
한국	32.4%	정년 연장, 노동력 감소, 연령 차별
일본	28.1%	정년 연장, 노동력 감소, 연령 차별
미국	23.8%	개인 선택, 정년 연장, 연령 차별
독일	21.5%	정년 연장, 노동력 감소, 연령 차별
영국	18.7%	정년 연장, 개인 선택, 연령 차별

위의 고령 인구의 일할 의지나 65세 전후 급여 차이를 보면, 고령 인구가 많아진다고 하더라도 일할 의지가 매우 높아서 사회 기여를 높일 수 있는 기회가 있음을 알 수 있으나, 고령 인구를 활용할 사회적인 시스템 미비로 제대로 활용되고 있지 않음을 알 수 있습니다.

인구 절벽이나 고령화사회는 한국사회가 직면한 심각한 위기이지만, 변화하는 사회 환경에 맞춰 적극적인 정책과 사회적 노력을 통해 이 위기를 극복하고 지속가능한 발전을 이루어나가야 합니다. 그러기 위해서는 다양한 경제적 지원, 일과 가정 양립 지원, 사회적 인식 개선 등을 통해 출산율 증대를 위한 정책을 강화해야 합니다. 그리고 고령층의 건강 증진, 교육 및 훈련, 일자리 창출 등을 통해 사회 참여를 확대하고, 그들의 경험과 지식을 활용해야 하며, 지방 지역의 인구 유출을 막고, 지역 경제 활성화, 인프라 확충, 문화 공동체 강화 등을 위한 정책을 추진해야 할 것입니다.

3. 고령 인구의 잠재력: 사회자원으로서의 가치

(1) 풍부한 경험과 지식: 고령 인구의 보유 역량과 전문성

고령 인구는 오랜 삶을 통해 축적한 풍부한 경험과 지식을 보유하고 있습니다. 이는 사회 발전에 중요한 자원으로 활용할 수 있습니다. 실례로 경상북도 봉화군의 봉화 향토 사랑회나 서초 향토 문화연구원은 70~80대 이상 노인들이 봉화의 역사를 조사하고 학생들에게 강연 등을 통해 경험과 지식을 전달합니다.

특정 분야에서 오랜 경험과 전문성을 가진 고령 인구는 사회 각 분야 전문가로서 청소년들에게 진로 및 삶을 조언하는 청소년 멘토로 활동하거나 자문, 교육 등을 통해 후학 양성에 기여할 수 있으며, 다양한 삶의 경험을 통해 얻은 지혜는 사회 문제 해결, 정책 수립, 공동체 활동 등에 유용하게 활용될 수 있습니다. 또한 전통문화, 역사, 지식 등을 보존하고 후대에 전달하는 역할을 수행할 수 있습니다.

(2) 사회 참여와 자원봉사: 사회 공헌과 공동체 활성화

고령 인구는 사회 참여와 자원봉사를 통해 사회에 기여하고 공동체 활성화에 중요한 역할을 수행할 수 있으며, 사회복지, 교육, 환경, 문화 등 다양한 분야에서 자원봉사 활동을 통해 사회 문제 해결에 기여할 수 있습니다. 또한 지역 사회의 리더 역할을 수행하고, 지역 문화 활동에 참여하여 공동체 활성화에 기여할 수도 있고, 젊은 세대에게 조언, 멘토링 등을 제공하여 세대 간 교류를 증진시키고 사회 통합에 기여할 수 있습니다.

(3) 소비 시장의 변화: 새로운 소비 트렌드와 기회

고령화사회는 소비 시장에도 큰 변화를 가져옵니다. 고령층의 소비 트렌드 변화는 새로운 사업 기회를 창출할 수 있습니다.

건강 관리, 질병 예방, 치료 등에 대한 소비가 증가하고, 여행, 문화 생활, 교육 등에 대한 소비도 증가하게 됩니다. 편리하고 안전한 생활을 위한 제품 및 서비스에 대한 소비와 개인의 건강 상태, 취향, 라이프스타일에 맞춘 제품 및 서비스에 대한 수요가 증가합니다.

(4) 혁신적인 기술 개발: 고령화사회에 맞춘 기술 솔루션

고령화사회의 문제를 해결하고 고령층의 삶의 질을 향상시키기 위한 혁신적인 기술 개발이 증가합니다. 만성 질환 관리, 재활 치료, 헬스케어 분야의 기술 개발 등 의료 및 건강 관리 기술이 발달하고, 일상생활 활동 지원, 안전 및 보안 분야의 기술과 고령층에 최적화한 맞춤형 서비스 제공, 사회 문제 해결 분야의 기술 개발 등을 통해 고령층의 정보 접근성이 향상되어 사회 참여가 확대됩니다.

고령 인구는 사회 발전에 기여할 수 있는 중요한 자원입니다. 고령 인구의 풍부한 경험과 지식, 사회 참여, 소비 시장 변화, 혁신적인 기술 개발 등을 활용하여 사회 문제를 해결하고 지속가능한 사회를 만들 수 있습니다. 정부, 기업, 시민사회는 고령 인구의 잠재력을 활용하기 위한 다양한 노력을 기울여야 합니다.

4. 고령 인구 활용 방안: 정책과 제도적 개선

(1) 은퇴 연령 연장: 선택적 은퇴, 유연한 근무 시스템 도입

고령화사회에서의 가장 중요한 요소 중 하나는 은퇴 시기입니다. 그런데 현재는 나이 개념으로 은퇴 시기를 정하는 정년은퇴 제도가 널리 활용되고 있으므로 이를 개선할 필요가 있습니다. 나이로 은퇴 시기를 정할 것이 아니라 개인의 건강 상태, 경제 상황, 희망 등을 고려하여 은퇴를 선택할 수 있도록 해야 합니다.

또한 단계적인 은퇴 방식을 도입하여 정년 후에는 일하는 시간을 점차 줄여나가고 부분적으로 연금을 수령할 수 있는 제도를 확대해야 합니다.

이를 위해서는 유연한 근무 시스템 도입이 선행되어야 합니다. 파트타임, 재택근무, 컨설팅 등 개인의 상황에 맞는 유연한 근무 방식 중 선택할 수 있도록 해야 합니다.

일과 삶의 균형을 위해 근무 시간 단축 및 휴가를 확대하고, 고령층에 대한 연령 차별을 없애야 하며, 능력에 기반한 평가 시스템을 도입할 필요가 있습니다.

(2) 고령층 재취업 지원: 교육 훈련 및 일자리 창출 정책

고령 인구의 재취업을 지원하기 위해서는 고령화 이전에 가진 기술을 활용할 수 있도록 해야 합니다. 전문 인력을 필요로 하는 회사와 전문 지식을 가진 고령 인구를 쉽게 연결할 수 있는 플랫폼을 구축해야 합니다. 그리고 새로운 기술에 대한 지속적인 습득을 통해 사회에서 필요로 하는 인재로 활용하는 것 또한 매우 중요합니다.

인공지능, 빅데이터, 4차 산업혁명 관련 미래 산업에 필요한 기술 교육을 적극적으로 실시하고, 새로운 직업을 위한 경력 개발 및 재교육 프로그램 제공, 컴퓨터 활용 능력 향상을 위한 교육과 건강 유지 및 증진을 위한 교육 등을 통해 인구 절벽에 따른 부족한 구인란을 사전에 준비할 수 있어야 합니다.

고령 인구는 고령화 전에 이미 보유했거나 경험했던 지식을 사회복지, 돌봄 서비스, 교육 분야 등 다양한 분야에 활용할 수 있습니다. 따라서 청년들에 대한 창업지원뿐만 아니라 고령 인구의 창업을 위한 자금지원, 교육 및 컨설팅 제공도 중요합니다. 고령 인구를 고용하는 기업에 대한 세금 감면, 금융 지원 등의 혜택을 제공하여 고령 인구를 적극적으로 활용할 수 있는 사회적 분위기를 만들어야 합니다.

(3) 고령 인구에 대한 사회적 인식과 제도 개선

고령 인구의 역량과 경험에 대한 사회적 인식을 개선하기 위해 세대 간 소통 및 이해 증진을 위한 프로그램을 활성화하고 자원봉사, 사회 활동 등을 통한 고령층의 사회 참여를 적극적으로 확대해야 합니다.

현재 우리 사회는 나이에 따른 역할, 능력, 가치에 대한 편견이 심한

데, 특히 고령 인구에 대해서 비생산적, 부양 대상, 사회적인 비용으로 인식하는 경우가 많습니다. 이러한 사회적 인식과 제도를 개선해야 합니다.

고령 인구의 사회경제적 변화 분석을 통해 제도와 시스템을 개선하고, 나이의 차별이 아닌 다양한 능력과 경험 가진 개인으로 인식할 필요가 있습니다. 이를 위해서는 사회 구성원으로서 존중과 기회 제공이 지금보다 더 적극적으로 추진되어야 합니다. 고령 인구의 사회 참여 활성화 정책, 긍정적 이미지 제고, 미디어 콘텐츠 제작, 세대 간 교류 프로그램 운영, 고령층 역량 강화 교육 및 지원 등을 추진해야 합니다.

고령 인구의 활용은 인구 절벽 시대를 극복하고 지속가능한 사회를 만드는 중요한 과제입니다. 정부, 기업, 시민사회는 다양한 정책과 제도적 개선을 통해 고령 인구의 잠재력을 활용하고 사회에 기여할 수 있도록 노력해야 합니다.

5. 다양한 분야 활용 사례: 성공적인 모델 제시

(1) 고령 인구의 전문성 활용

고령 인구의 전문성과 경험을 기반으로 젊은 세대에게 직업 선택,

경력 개발 등에 대한 조언을 제공함으로써 업무효율성과 시행착오를 줄일 수 있게 하고, 고령화 전 다양한 분야의 전문 지식 등을 활용하여 젊은 세대 멘토링을 추진하며, 특정 분야의 전문가 그룹 구성 및 자문 활동 등을 통해 사회 기여를 확대할 수 있습니다.

• 한국산업인력공단: '고령 인력 전문가 풀' 운영을 통해 퇴직 전문가들이 기업 컨설팅, 교육, 멘토링 등을 제공하도록 지원
• 서울시: '경력 멘토링 프로그램' 운영을 통해 고령층 전문가들이 창업을 준비하는 젊은 세대에게 멘토링 제공

(2) 사회 참여: 자원봉사, 지역 사회 활동, 시민 참여

다양한 지역 사회 활동에 참여하거나 자원봉사를 통해 사회와 개인이 모두 만족할 수 있게 하고, 정부나 지역 사회의 정책 결정 과정에 참여하게 함으로써 사회적 의사결정에 대한 균형 유지에 기여할 수 있게 해야 합니다. 지역 문화 행사에 참여하거나 공동체 문제 해결에 참여하게 함으로써 사회 구성원으로서 역할과 책임을 강화하여 자부심을 제고시킬 필요가 있습니다. 또한 고령 인구의 창업 등을 통해 사회 문제 해결을 위한 사회적 기업 활동에 적극적으로 참여하게 할 필요도 있습니다.

• 굿네이버스: '나눔이웃' 프로그램 운영을 통해 고령층 자원봉사자들의 지역 사회 활동 지원
• 대한노인회: '노인활동지원센터' 운영을 통해 노인들의 사회 활동 지원

(3) 소비 시장: 맞춤형 상품 개발, 새로운 소비 트렌드 창출

고령층 니즈에 맞는 상품을 개발하여 제공하고, 건강, 여가, 문화, 교육 등 새로운 분야의 소비 트렌드를 창출할 수 있도록 해야 합니다. 코로나 등으로 인한 온라인 생활이 일상화된 환경에 잘 적응할 수 있는 쇼핑 편의 증진, 고령층 친화적인 서비스 제공도 필요합니다.

특히 고령층 취약 영역인 온라인에서의 사기 예방과 소비자 권익 보호도 필요합니다.

• CJ헬스케어: '건강나눔 플랫폼' 운영을 통해 고령층 건강 관련 상품 및 서비스 제공
• 롯데쇼핑: '실버라이프몰' 운영을 통해 고령층 맞춤형 상품 및 서비스 제공

(4) 기술 개발: AI, 빅데이터, 로봇 등 고령화사회 기술 개발

AI 기술과 빅데이터를 활용하여 고령 인구의 건강, 소비·생활 패턴을 분석하고 의료, 돌봄, 안전 등의 다양한 문제를 개선해야 합니다. 돌봄로봇, 의료로봇의 개발도 필요합니다. 고령 인구 대상 기술 교육 및 훈련 기회를 제공해서 기술 발달에 따른 적응 장애를 최소화하고 가지고 있는 경험과의 결합을 통해 가치를 확대할 수 있도록 해야 합니다.

- KT: 'AI 콜센터' 운영을 통해 고령층에게 AI 기반 상담 서비스 제공
- LG전자: 'CLOi GuideBot' 개발을 통해 고령층에게 안내 및 정보 제공 서비스 제공

6. 미래 사회를 위한 전략과 지속가능한 발전 방안

(1) 인구 구조 변화에 대응하는 사회 시스템 구축

인구 구조 변화에 대응하는 사회 시스템 구축은 단일 부처 또는 정부 차원의 노력만으로는 불가능합니다. 인구 절벽 시대에 접어든 우리 사회는 고령화라는 거대한 변화의 물결 속에서 미래를 향해 나아가고 있습니다. 이러한 변화에 대응하기 위해서는 사회 시스템 전반에 걸친

혁신적인 개선이 필요합니다.

먼저 노동 시장 변화에 대응하는 사회 시스템 구축이 필요합니다. 고령층 노동력을 활용하기 위한 단계적 정년 연장 및 선택적 정년제 도입, 새로운 기술 습득 및 직업 능력 개발 지원, 건강검진 및 예방접종 확대, 만성 질환 관리 지원을 해야 합니다. 재택근무, 시간제 근무 등 다양한 근무 방식 중 자신에게 맞는 방식을 선택할 수 있어야 하며, 단순 반복 업무 자동화, 데이터 분석 기반 의사결정 등을 통해 생산성을 높일 필요가 있습니다. 인공지능 및 자동화 기술 관련 교육 프로그램을 제공하고, 지역 내 다양한 기관 및 단체 간 협력 네트워크를 구축하여 효율화를 추진해야 합니다.

(2) 고령화사회를 위한 정책 및 제도 개선 방향

고령화사회는 사회 전반에 걸쳐 획기적인 변화를 가져오는 중요한 사회 구조적 변화입니다. 이러한 변화에 적극적으로 대응하고 지속가능한 발전을 이루기 위해서는 고령화사회의 특성을 고려한 정책 및 제도 개선이 필수적입니다.

고령자의 건강 증진을 위한 예방적 건강 관리 시스템을 강화하고, 만성 질환 치료, 재활 치료, 정신 건강 관리를 제도화해야 합니다. 고령자에 대한 가족 돌봄 지원, 전문 돌봄 서비스 확대, 사회적 돌봄 시스템 구축도 강화해야 합니다.

고령자의 사회 참여 확대를 위한 재교육 프로그램 개발, 취미 활동 지원, 자원봉사 활동 지원을 개선해야 합니다. 노인 일자리 창출을 위한 사회 기여 활동 지원, 경력 활용 프로그램 개발, 노인 기업 육성을 추진해야 합니다. 세대 간 교류 프로그램 개발을 통해 청소년과 노인의 교류 활동, 상호 지지 시스템도 구축해야 합니다.

고령화사회를 위한 정책 및 제도 개선은 단순히 기존 정책의 연장선에서 이루어질 수 없습니다. 고령화사회의 특성을 정확하게 파악하고 미래 사회를 위한 전략적 관점에서 접근해야 합니다. 다양한 이해관계자들의 참여와 협력을 통해 지속가능한 발전 방안을 모색해야 합니다.

(3) 인구 절벽 시대를 극복하고 새로운 기회를 창출

고령화사회는 사회 발전 및 개인의 삶을 풍요롭게 만들 수 있는 기회입니다. 사회 통합 및 지속가능한 발전 추구를 통해 세대 간 협력 및 공동체 의식을 강화해야 합니다. 미래 사회 변화에 대한 대비를 위해 공동의 노력이 필요하며 지속가능한 미래 사회를 만들기 위해 노력해야 합니다.

7. 결론: 인구 절벽 시대, 함께 나아가는 미래

인구 절벽 시대는 한국사회에 큰 위협이지만 동시에 새로운 기회를 제공합니다. 인구 감소와 고령화는 사회 전반에 걸쳐 다양한 변화를 가져오고 있으며, 이에 대한 적응과 해결 방안을 모색하는 것이 중요합니다.

노동력 감소 문제는 자동화, 인공지능 기술 도입, 여성 및 외국인 노동력 활용 등을 통해 해결할 수 있습니다. 또한 사회 안전망 강화를 위해 연금 시스템 개선, 의료 및 돌봄 서비스 확대, 사회 복지 시스템의 강화가 필요합니다.

고령화사회는 사회 시스템 변화를 요구합니다. 노령 친화적인 주거 환경 조성, 평생 교육 시스템 강화, 문화 활동 기회 확대 등이 필요합니다.

또한 고령 인구의 잠재력을 활용하기 위한 정책 및 제도적 개선도 중요합니다. 인구 절벽 시대를 극복하기 위해서는 세대 간 협력과 공동체 의식 강화가 필요합니다. 세대 간 교류 프로그램 활성화, 자원봉사 및 사회 참여 활성화, 공동체 의식 강화 등을 통해 사회 통합을 이루어 낼 수 있습니다.

혁신적인 기술 개발, 신규 산업 창출, 사회적 인식 개선 등을 통해 인구 절벽 시대를 극복하고 새로운 기회를 창출할 수 있습니다. 인구 절벽 시대는 우리 사회에게 새로운 과제를 제시하지만 동시에 더 나은 미래를 만들 수 있는 기회도 제공합니다. 정부, 기업, 시민사회는 함께 협력하여 지속가능한 발전을 위한 전략을 수립하고 실행해야 합니다. 함께 노력한다면 인구 절벽 시대를 극복하고 모두에게 더 나은 미래를 만들 수 있습니다.

참고문헌

1. 각 나라의 통계청 홈페이지

- 한국(https://kostat.go.kr)
- 일본(https://www.stat.go.jp)
- 미국(https://www.census.gov)
- 독일(https://www.destatis.de)
- 기획재정부(2020). 제5차 고령화사회 기본계획(2020~2025).
- 보건복지부(2020). 제2차 국가노년정책 기본계획(2020~2024).
- 한국개발연구원(2019). 고령화사회의 경제·사회적 영향과 정책 과제.
- 한국노년학회(2019). 한국 고령화사회의 현황과 전망.
- 국립사회보장·인구문제연구원(2018). 고령화사회의 사회보장제도 개혁 방향.

2. 학술 논문

- 박명진, 김태형, 김성국(2020). 〈고령화사회의 사회경제적 영향과 정책 과제: 한국을 중심으로〉. 한국사회복지정책연구, 26(4), 1-34.
- 김정호, 김정환(2019). 〈고령화사회의 노동시장 변화와 정책 과제〉. 한국노동연구원, 2019-13.
- 이인숙, 박상희(2018). 〈고령화사회의 사회복지 정책: 제도 개선 방향을 중심으로〉. 한국사회복지학, 59(2), 217-245.
- 김미경(2017). 〈고령화사회의 건강·의료 정책: 제도 개선 방향을 중심으로〉. 한국보건사회연구, 33(4), 1-24.

3. 기타 자료

- OECD(2021). Ageing in a Changing World.
- World Bank(2020). The World Bank's Approach to Active Ageing.
- UN Population Division(2019). World Population Prospects 2019.

4. 위 내용에 추가로 활용된 참고문헌

- 이장우, 김성국(2019). 〈고령화사회의 경제적 영향과 정책 과제〉. 한국개발연구원, 2019-12.
- 김태형, 박명진(2018). 〈고령화사회의 사회적 영향과 정책 과제〉. 한국사회복지정책연구, 24(4), 1-34.
- 최현정(2017). 〈고령화사회의 노동시장 변화와 정책 과제〉. 한국노동연구원, 2017-15.

저자소개

김효정 KIM HYO JEONG

학력

• 연세대학교 일반대학원 기술경영 협동 석·박사 과정중

경력

• 신한카드에서 32년 근속
• 2022~ CP(Cooperate & Public) 사업본부장, 서울 페이 플러스 앱 1~3단계 구축함
• 2018~ 빅데이터 사업본부장, 고객 경험 기반 초개인화 마케팅 체계 구축, 소상공인 마케팅 지원 플랫폼 〈마이샵〉 개발, AI 기반 챗봇 개발(구글 dialog-flow)하여 활용
• 2016~ 업계 최초 모바일 결제 플랫폼 〈FAN〉 국내 주요 40여 개 사와 모바일 플랫폼 동맹(MPA) 구축하여 플랫폼 사업을 추진
• 1998~ 고객관리체계 구축 및 CRM마케팅을 추진

제4장

고령화사회의 도래와 고령친화산업 발전 방안

인치견

1. 서론

고령화사회는 65세 이상의 인구가 전체 인구의 7% 이상인 경우를 말하는데, 고령 인구가 전체 인구의 14% 이상이면 고령사회, 20% 이상이면 초고령사회라고 한다. 고령화사회가 되는 가장 큰 이유는 경제 발전으로 영양과 위생 상태가 좋아지고 의료 기술이 발전함으로써 불치, 난치병들을 치유하게 되어 수명이 많이 늘어났기 때문이다. 또한 출산율의 감소도 고령화사회 진입을 가속화하는 요인 중의 하나이다.

이런 이유로 선진국 대부분은 일찍부터 고령화사회에 진입하기 시작하여 고령화사회의 문제점과 대책에 관한 고찰이 필요하게 되었다.

한편 우리나라의 유례없이 빠른 고령화 진행 속도는 기대수명의 증가뿐 아니라 다른 국가보다 빠른 출산율 저하에 기인하고 있다. 우리나라의 경우 1980년 출산율 2.7이던 것이 2000년 1.5, 2001년 1.3, 2002년 1.17로 급속히 줄어들고 있는데, 일본이 1970년 2.1에서 1998년 1.4로 감소한 것이나 미국 및 프랑스가 각각 1970년 2.0에서 1996년 1.7로 감소한 것에 비해 매우 빨리 진행되고 있음을 알 수 있다.

현재와 같은 출산율 감소 및 평균 수명 증대의 속도에 비추어 볼 때, 고령화로 인한 저성장 및 재정 위기 등의 각종 문제를 더욱 가까운 시일에, 더 크게 부딪힐 가능성이 존재하기 때문에 대응책도 더욱 신속히 마련되어야 할 것이다.

2. 고령친화산업의 정의 및 배경

(1) 고령친화산업의 정의

고령친화사업(高齡親和産業, Senior-friendly industry)이란 고령자의 생물학적 노화 및 사회경제적 능력 저하로 발생한 수요를 충족시키기 위한 산업을 말한다. 여기서 '고령친화'라 함은 실제로 '노인의 선호를 우선적으로 고려함을 의미하는데, 고령자[1]라 함은 현재의 고령자는 물론 노후를 대비하는 미래의 고령자도 포함하고자 하며 따라서 현재의 중장년층이 향후 고령으로 편입되었을 때를 대비하여 소비 및 투자하는 제품과 서비스도 고령화산업 범주에 포함을 시켜야 한다.

(2) 고령친화산업의 배경

우리나라는 선진국에 비해 고령화사회에서 고령사회로 진입하는

1 우리나라의 경우 실제법상 65세 이상 노쇠자를 노인으로 규정하고 있음. 미국 인구통계국에서는 55∽64세(the olders), 65∽74세(the elders), 75∽84세(the aged), 85세 이상(the very old)으로 분류하고 55세 이상을 기준으로 사용하고 있음.

데 걸리는 기간이 다른 나라에 비해 매우 빠르게 진행되고 있다. 고령사회 이후 초고령사회로의 진입 역시 빠르게 진행될 것으로 예상되는 상황에서 정책적으로 대비할 시간이 부족하다 보니 질병과 빈곤 등 다양한 노인 문제에 노출되어 있는 것이 현실이다.

인구 고령화는 생산연령인구의 상대적 감소로 노동력이 고령화되어 노동생산성이 떨어져서 경제 성장이 둔화되고 노인 인구를 위한 연금, 의료, 각종 사회적 서비스를 포함한 국가의 사회복지 재정 지출의 증가를 초래하게 된다.

1) 우리나라의 고령사회화

한국의 고령화 진행 상황

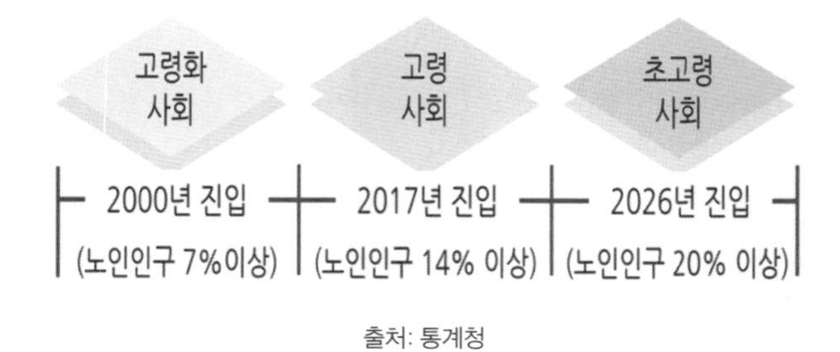

출처: 통계청

현재 우리나라는 고령사회에 접어들었고 노인 인구의 증가와 속도에 따른 의료보장, 사회 서비스 등 사회적 부양부담의 증가가 예상되고 있다. 즉 급속한 고령화는 위협임과 동시에 기회가 될 수 있다. 정부는 2006년 고령친화제품 및 서비스를 연구 개발, 제조, 건축, 유통 또는 판매하는 고령친화산업을 미래성장동력으로 제시하고 있다. 새로운 성장동력산업으로 고령친화산업을 육성한다는 것이 정부의 전략이다.

연도별 고령인구 비중 현황

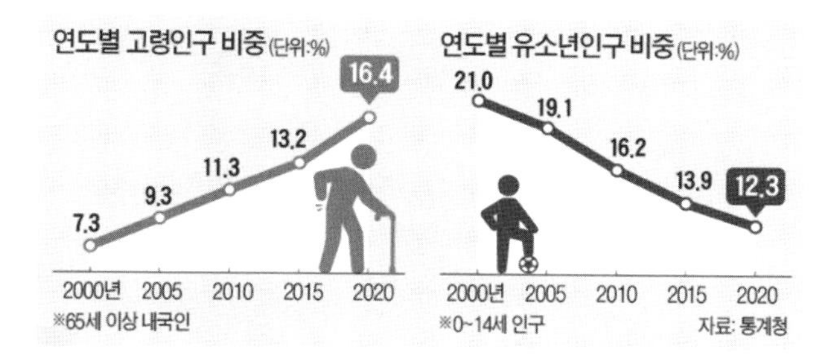

2) 국가별 고령 인구 비율

고령이란 용어에 대한 정의는 나라마다 다르다. 한국의 「고령자고용촉진법시행령」에서는 55세 이상을 고령자, 50~54세를 준고령자로 규정하고 있으나 UN은 65세 이상의 인구가 총인구에서 차지하는 비율이 7% 이상일 때 고령화사회라고 보고 있다. 인구의 고령화 요인은 출생률의 저하와 사망률의 저하가 큰 비중을 차지한다. 평균 수명이 긴 나라가 선진국이고 평화롭고 안정된 사회를 상징하는 의미에서 장수(長壽)는 인간의 소망이기도 하지만, 반면 고령에 따르는 질병, 빈곤, 고독, 무직업 등에 대응하는 사회경제적 대책이 고령화사회의 당면과제이다. 2024년 기준 한국의 65세 이상 노인 인구는 973만 명으로 전체 인구의 약 19%에 이르며 2025년에는 전체 인구의 20%에 이르는 초고령사회로 돌입할 것으로 추정된다. UN 추계에 의하면 2025년에 65세 이상의 인구가 총인구에서 차지하는 비율은, 일본 27.3%, 스위스 23.4%, 덴마크 23.3%, 독일 23.2%, 스웨덴 22.4%, 미국 19.8%, 영국 19.4%로 예측된다. 우리나라는 노인 인구 비율이 2000년부터 7%가 넘어가면서 고령화사회로 진입했고 이 비율은 2023년 18.4%를 기록하였다. 또 이 비율은 2030년 무렵부터 24.9%에 도달, 초고령사회에 진입할 것으로 예측된다.

UN의 노인 비율에 따른 고령화 정도 분류

분류	노인 비율
연소인구사회	0% 이상 ~ 4% 미만
성숙인구사회	4% 이상 ~ 7% 미만
고령화사회	7% 이상 ~ 14% 미만
고령사회	14% 이상 ~ 20% 미만
초고령사회	20% 이상 ~ 100% 미만

출처: 네이버

3) 고령화의 원인

우리나라는 기대 수명이 빠르게 증가했고 출산율 감소까지 더해져 다른 국가에 비해서 고령화가 빠르게 이루어졌다. 양육비, 교육비의 부담으로 인해서 아이를 키우지 않는 가정들이 늘어나면서 출산을 꺼리는 세대가 많아졌다. 결혼 적령기에 해당하는 세대들이 경제적인 사정이나 개인적인 사정 등의 이유로 비혼이나 만혼을 하는 경우가 많아지고 노인들은 계속 증가하면서 고령화에 가속도가 붙었다. 게다가 대부분의 기업은 정년과 나이 제한이 있으므로 상당수의 고령층은 경제 활동에 큰 제한을 받게 되어 빈곤하게 살고 있다. 한국의 내국인 고령 인구는 2025년 1,000만 명을 넘을 것으로 전망된다. 2036년 1,500만 명을 넘어 2045년엔 2,500만 명에 육박할 것으로 보인다.

한국은 2007년에 노인 비율이 10%를 넘었고 10년 뒤인 2017년에 14%가 되어 고령사회에 진입했다. 2023년 현재는 18.4%로 가파른 상승 중이다. 비혼이나 만혼이 증가한 구체적인 이유는 주로 경제 불황으로 인한 실업률이 증가하면서 재정적으로 어려워지는 경우가 많아졌고, 자신만의 인생을 살고 싶어 하거나 결혼할 생각이 없이 독립해서 살고 싶어 하는 경우가 증가했기 때문이다. 이런 세대들이 시간이 지나서 노인이 될 것이고 이렇게 노인 인구가 계속 증가할수록 고령화는 더욱 심해진다. 결혼했더라도 아이 없이 살아가는 경우 시간이 지나면 노인만 증가하게 되기 때문에 이런 가정들이 증가해도 고령화가 빠르게 일어나게 된다.

일본은 대부분의 선진국과 마찬가지로 고령화가 강하게 나타나고 있어서 심각한 문제가 되고 있다. 중국 또한 고령화가 심해질 우려가 크다고 한다. 이런 국가들 대부분 경제적인 발전보다는 정책적인 이유에 의해서 출산율이 감소한 것이다. 이미 전 세계적으로 많은 국가가 고령화사회에 진입했다.

4) 고령화의 사회적 문제

고령화는 국가의 경제를 침체시키는 요인 중 하나이다. 생산 주체인 인구가 감소하거나 고령화로 비경제활동인구가 증가하면서 생산되는 재화와 용역의 부가가치가 줄어들고 국내총생산도 감소하게 된다. 고령화가 극심해지면 국가가 파산하고 몰락하는 요인이 된다. 한 사회의 전체 인구 중 고령 인구가 차지하는 비율의 양적 증가로 인한 변화 양상을 뜻하는데 이러한 변화 양상에는 노인 부양 부담의 증가, 경제 성장 둔화 및 노동시장 변화 등이 있다.

고령화로 인한 인구 구조의 변화

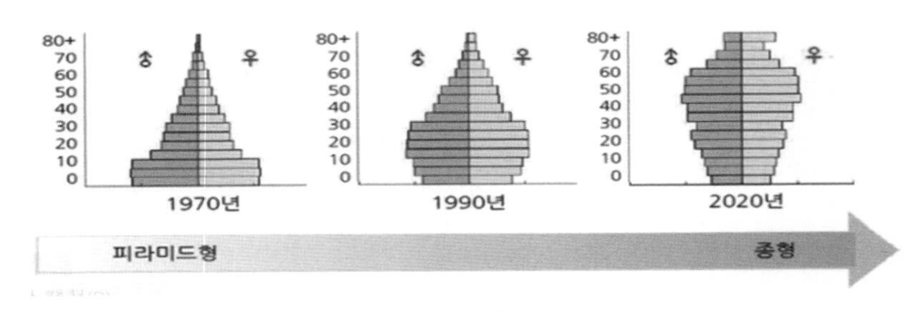

출처: 통계청

위와 같은 인구 구조의 변화로 인한 사회의 노인 부양 부담이 더욱 무거워지고 있는데 이는 경제활동 인구 비율 감소로 노인 부양비가 증가하게 된다.

연도별 노인 1인당 경제활동 인구

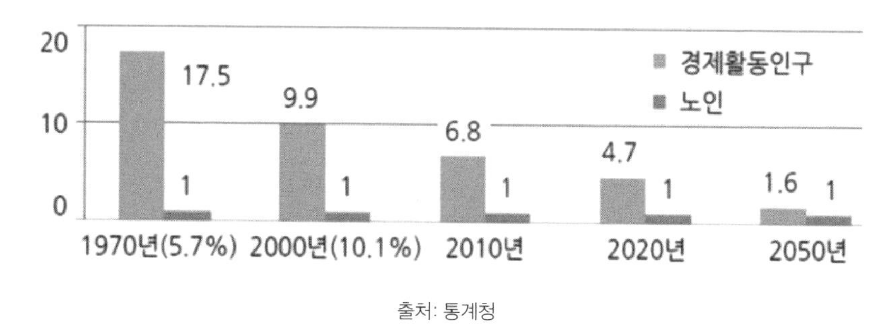

출처: 통계청

2020년경 이후에는 노인 부양 부담이 유년 부양 부담을 역전할 것으로 전망하고 있는 가운데, 고령화가 진전될수록 보호를 필요로 하는 고령 노인이 많아질 수밖에 없다. 하지만 노인의 부양을 가족, 특히 여성에만 맡겨놓을 수도 없다. 사회적 보호체계 확충이 절실히 요구되는 가운데 노인복지에 대한 양적인 수요 증가 및 다양한 서비스에 대한 요구도 함께 증가하기 때문이다.

즉 경세 성장 둔화 및 노동시장의 변화를 가져오게 되는데, 이는 정년제로 인한 퇴직자가 늘어나고 새로운 경제활동인구로 유입되는 청장년층이 줄어들면서 노동력 부족으로 이어지게 되고, 이렇게 부족한 노동력을 확보하기 위해 저개발국의 외국인 근로자가 흘러들어 오고 경력이 단절되었던 여성 인력을 활용할 수밖에 없는 현상으로 이어지게 된다. 그런데 여성 인력이 사회로 진출하면서 출산, 육아, 가사를 대신할 또 다른 인력이 필요하게 되는데 ① 노동력의 증가 속도 감소, ② 노동력의 다양화, ③ 국가 간 노동력 이동 증가, ④ 노동력의 고령화, ⑥

45세 이상 중장년층 노동 인구 증가, ⑩ 산업 중심의 노동력에서 서비스 중심의 노동력으로 이동, ⑪ 직종의 변화와 전직의 증가, ⑫ 전문직의 현저한 증가, ⑬ 전 직종에서 컴퓨터와 정보 기술의 영향 증가 등으로 변화가 있을 것으로 전망하고 있다.

노인의 생활 방식이 변하고 생활 수준이 향상되면서 노인 인구의 증가는 노인의 세력화를 가져오게 된다. 고령사회와 초고령사회의 노인은 현재의 노인 세대와 달리 교육 수준이 높아지면서 경제적인 여유 및 활기찬 노후에 대한 기분을 조성할 수 있다. 즉 노인층의 교육 수준 향상은 일상적인 삶의 방식에도 커다란 변화를 일으키게 된다.

첫째, 노인의 생활 방식 변화와 생활 수준 향상

노인층의 교육과 문화 수준이 향상되면서 다음과 같은 변화가 예측된다. ① 노인의 참여와 봉사활동, 학습과 일에 더 많은 시간을 사용할 것이다. ② 노인의 문화 여가활동에 대한 욕구가 증가하게 된다. ③ 노인의 다양한 교육 욕구 및 더 많은 직업과 직종에 대한 요구가 증가하게 된다. ④ 노인의 구매력과 구매욕구가 증대하게 될 것이다. ⑤ 노인의 변화된 생활 양식과 관련된 요구가 증가하면서 노인 대상의 실버산업이 발달하게 될 것이다.

둘째, 노인의 세력화

주요 의사결정권을 지닌 세력으로 지위가 바뀌게 된다. 그중 투표권, 선거권, 단체결성권 등 정치적 권리와 능력을 갖게 되면서 고령화가 진전될수록 자신들의 이익을 위한 정치적인 세력 규합, 사회적인 압력 단체 구성, 의견 표출 및 관철시키기 위한 다양한 정치적 활동 실천 등 노인의 정치적 영향력이 커지게 될 것이다.

5) 고령친화산업의 규모

고령친화용품 제조업의 2021년 총매출액은 전년 대비 11.7% 증가한 4조 494억 원을 기록해 10%대의 빠른 성장을 보였다. 사업체당 매출액의 경우 5억 원 미만이 63.4%로 가장 많았으며, 사업체 자본금 규모도 1억 원 미만이 52.0%, 종사자 수는 10인 미만이 78.4%를 차지했다. 따라서 고령친화산업의 활성화를 위해 그간 제안된 다양한 고령친화산업의 발전 방향에 대한 의견 수렴 등 전략 방향 리뷰를 통한 미래 방향성 점검이 요구된다.

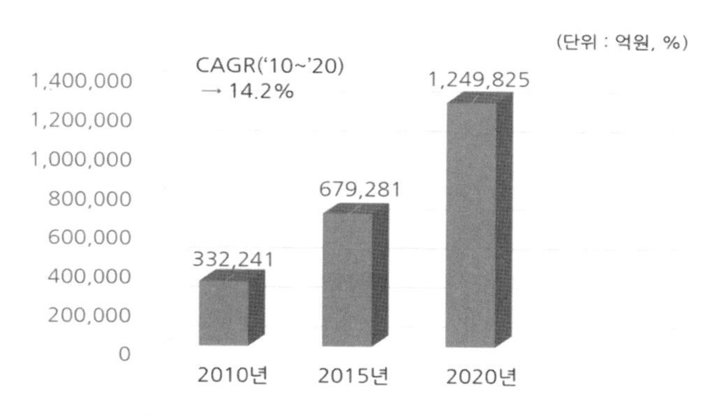

출처: 2018 고령친화산업 육성사업 결과보고서(보건복지부)

3. 고령친화산업의 활성화 필요성 및 시기

(1) 고령친화산업의 활성화 필요성

고령친화산업은 고령자의 생물학적 노화 및 사회경제적 능력 저하로 발생한 수요를 충족시키기 위한 산업을 말하며 현재의 고령자는 물론 노후를 대비하는 미래의 고령자도 포함하고자 하며 현재의 중장년층이 향후 고령층으로 편입되었을 때를 대비하여 소비 및 투자하는 제품과 서비스도 고령친화산업 범주에 포함하고 있다. 고령친화산업은 기존의 공급자 중심의 산업 분류 방식과는 달리 소비자의 특성을 중심으로 분류된 산업인 관계로 상품 그 자체의 특성에 기인하지 않음이 실체를 파악함에 있어 어려움을 겪는 주된 원인이 되고 있다. 먼저 수요자는 현재의 고령자(65세 이상)뿐 아니라 베이비붐 세대로 대표되는 장래 고령자도 포함되며, 특히 고령자의 간병과 일상생활을 지원하기 위한 간병인, 수발자 및 도우미를 위한 소비 및 투자 제품과 서비스도 본 산업에 포함된다.

고령화산업의 공급자는 매우 다양한데 크게 생물학적 노화와 관련된 상품을 생산하는 보건 및 요양, 의료기기, 복지용품, 식품, 의약품, 한방, 장묘 등의 산업과 사회경제 능력 저하와 관련된 상품을 생산하는 금융, 문화 및 여가, 전자 및 정보, 주택, 교육, 교통, 농업, 의료 등이 그 대상이 될 수 있다.

고령친화산업의 필요성

출처: 게티이미지뱅크

즉 고령친화산업의 활성화는 재정 위험 및 저성장 위험이며 건강 위험, 재무 위험 및 생활 위험에 대응하기 위한 유효한 수단이다. 이렇듯 정부가 제공하는 공익적 서비스의 질과 양 모두에 한계가 있으므로 경제력이 있는 고령자를 중심으로 수익자 부담의 원칙에 따라 보다 질 좋은 서비스와 재화를 소비할 수 있도록 산업 기반을 확대하여야 한다. 고령친화산업이 시장 기능을 활용하여 활성화될 경우 정부 재정을 확대할 수 있으며 이는 또다시 고령친화제품과 서비스의 생산을 위한 연구 개발을 확충시킬 것이다. 이렇게 생산된 고령친화상품은 복지 서비스를 위해 사용될 것이며 생산된 상품은 또다시 새로운 복지 서비스를 창출하고 확대될 것이다. 이렇게 정부가 재정을 통한 노인복지 서비스를 확대하고 아울러 시장 기능을 살려 고령친화산업을 활성화시킬 경우 고령자의 삶의 질은 더욱 확대 강화될 것이다.

이와 함께 고령친화산업의 활성화는 '분배와 성장의 선순환 구조 정착'의 실천적 방안을 제공하게 되며 '지역균형발전계획', '중소기업 활성화' 및 '서비스산업 육성'의 구체적 내용을 제공하게 될 것이다.

(2) 고령친화산업의 시기

고령친화산업은 기존의 공급자 중심의 산업 분류 방식과는 달리 소비자의 특성을 중심으로 재분류된 산업인 관계로 상품 그 자체의 특성에 기인하지 않음이 실체를 파악함에 있어 어려움을 겪는 주원인이 되고 있다. 따라서 수요자 및 공급자를 나누어 살펴봄을 통해 이해를 돕고자 한다. 먼저 수요자는 현재의 고령자(65세 이상)뿐 아니라 베이비 붐 세대로 대표되는 장래 고령자도 포함되며 특히, 고령자의 간병과 일상생활을 지원하기 위한 간병인, 주수발자 및 도우미를 위한 소비 및 투자 제품과 서비스도 본 산업에 포함된다. 고령친화산업의 공급자는 매우 다양한데 크게 생물학적 노화와 관련된 상품을 생산하는 보건 및 요양, 의료기기, 복지용품, 식품, 의약품, 한방, 장묘 등의 산업과 사회 경제적 능력 저하와 관련된 상품을 생산하는 금융, 문화 및 여가, 전자 및 정보, 주택, 교육, 교통, 농업, 의류 등이 그 대상이 될 수 있다.

참고로 외국의 경우, 고령친화산업의 태동은 고령 인구가 10%를 넘어서고 1인당 국민소득이 1만 달러를 넘어선 시점으로 미국은 1970년대 말부터 일본은 1985년부터 시작되었으며, 본격적 활황세는 소득수준이 2만 달러를 넘어선 시점으로 미국은 1980년대, 일본은 1990년대부터 나타나고 있다.

(3) 고령친화산업의 법령

고령친화산업의 1차 수요계층은 현재 65세 이상의 노인뿐 아니라 현재 부양자의 지위이지만 장래의 수요자인 중장년층을 포함하여 베이비붐 세대로 대표되는 장래 고령자, 장애인도 포함시켜야 한다. 2000년대 초부터 한국사회에 인구 고령화에 대한 전망과 위기의식에 따른 사회문제 대비에 대한 많은 논의들이 시작되면서 고령친화산업 육성에 대한 논의들이 확대되었다. 이러한 분위기 속에서 인구 고령화에 따른 상품 및 서비스 수요 변화에 대비한 새로운 산업을 육성하고 법적 기반의 구축이 필요함을 인식하여 2005년 「저출산·고령사회 기본법」, 2006년 「고령친화산업진흥법」의 법적 근거를 마련하고 이를 통해 고령친화산업의 지원과 육성의 의지를 보이며 노인의 삶의 질 향상을 대비하고 있으며, 고령친화산업 발달을 위한 정책적 움직임을 지속하고 있다.

1) 고령친화산업 진흥법(약칭: 고령친화산업법)

[시행 2022. 2. 18.] [법률 제18410호, 2021. 8. 17., 일부개정]
제1조 (목적) 이 법은 고령친화산업을 지원·육성하고 그 발전 기반을 조성함으로써 노인의 삶의 질 향상과 국민경제의 건전한 발전에 이바지함을 목적으로 한다.

제2조 (정의) 이 법에서 사용하는 용어의 정의는 다음과 같다.
1. "고령친화제품등"이라 함은 노인을 주요 수요자로 하는 제품 또는 서비스

로서 다음 각 목의 어느 하나에 해당하는 것을 말한다.
가. 노인이 주로 사용하거나 착용하는 용구·용품 또는 의료기기
나. 노인이 주로 거주 또는 이용하는 주택 그 밖의 시설
다. 노인요양 서비스
라. 노인을 위한 금융·자산관리 서비스
마. 노인을 위한 정보기기 및 서비스
바. 노인을 위한 여가·관광·문화 또는 건강지원서비스
사. 노인에게 적합한 농업용품 또는 영농지원서비스
아. 그 밖에 노인을 대상으로 개발되는 제품 또는 서비스로서 대통령령이 정하는 것
2. "고령친화산업"이라 함은 고령친화제품등을 연구·개발·제조·건축·제공·유통 또는 판매하는 업을 말한다.
3. "고령친화사업자"라 함은 고령친화산업을 영위하는 사업자를 말한다.
4. "관계중앙행정기관"이란 고령친화제품등을 관장하는 중앙행정기관으로서 기획재정부·과학기술정보통신부·문화체육관광부·농림축산식품부·산업통상자원부·보건복지부·고용노동부·국토교통부 그 밖에 대통령령으로 정하는 중앙행정기관을 말한다.

제3조 (국가 및 지방자치단체의 책무) 국가 및 지방자치단체는 고령친화산업의 기반조성 및 경쟁력 강화에 필요한 시책을 수립·시행하여야 한다.

2) 고령친화산업 진흥법의 의미

고령친화산업을 지원·육성하고 그 발전 기반을 조성함으로써 노인의 삶의 질 향상과 국민경제의 건전한 발전에 이바지함을 목적으로 제정된 법이다. 국가 및 지방자치단체는 고령친화산업의 기반조성 및 경쟁력 강화에 필요한 시책을 수립·시행해야 하며, 고령친화제품 등 소비

자의 권익보호를 위한 다양한 시책을 강구해야 한다. 또 고령친화산업 육성을 위해 필요한 전문인력을 양성해야 하고, 고령친화산업에 관한 국제적 동향을 파악하고 국제협력을 촉진해야 한다.

관계중앙행정기관의 장은 고령친화산업의 효율적 지원을 위해 고령친화산업지원센터를 설립하거나 고령친화산업 관련 지원사업을 하는 연구기관·단체 또는 법인을 지원센터로 지정할 수 있다. 이 지원센터는 ▷고령친화산업의 발전을 위한 제도의 조사·연구 ▷고령친화산업의 발전에 필요한 기술 및 표준화 연구 ▷고령친화산업의 활성화를 위한 지원시설의 설치 등 기반조성에 관한 사업 ▷고령친화산업과 관련된 전문인력의 양성 및 지원에 관한 사업 ▷고령친화산업의 창업 및 경영지원, 정보의 수집·공유·활용에 관한 사업 ▷고령친화산업 발전을 위한 유통 활성화와 국제협력 및 해외진출 지원 ▷고령친화사업자에 대한 지원 등을 담당한다. 여기에 품질 등이 우수한 고령친화제품 등을 고령친화우수제품으로 지정할 수 있으며, 지정받은 우수제품은 그 표시를 할 수 있다.

이 밖에 국가 및 지방자치단체는 우수제품을 제조하는 자를 지원하기 위해 기술개발 자금 및 시제품 상용화의 지원, 기술지도 및 관계 법령에 의한 품질인증의 획득 지원, 연구시설 및 장비의 이용지원 등의 사업을 할 수 있다. 그리고 이에 따라 지원을 받은 우수제품을 제조하는 자가 그 지정이 취소된 경우에는 그 지원 상당액을 환수해야 한다.

4. 고령친화산업의 활성화를 위한 대책

고령친화산업의 활성화를 위해서는 정부의 지원이 절대적으로 중요하다. 특히 우리나라와 같이 복지 인프라와 관련된 정부 재정이 빈약한 국가가 초고속으로 고령사회로 향하는 경우에는 더욱 그러하다. 즉 고령친화산업은 민간을 통해 정부의 책임에 해당하는 국민(특히 고령자)의 건강권 및 생존권을 보다 강화하기 위한 접근이기도 하므로 산업자원 그 이상의 의미가 있다.

이에 정부는 2005년 1월 제57회 국정과제 회의를 통해 고령친화산업 활성화 정책을 국정과제로 설정하고 이에 대한 정책지원을 천명하고 있다, '저출산 고령사회 위원회' 산하에 '저출산고령사회 정책본부'를 설치하고 '고령친화산업팀'을 신설해 고령친화산업의 지속적 지원정책을 개발 중이며, 이는 범정부적 차원에서 수립되고 있는 '저출산 고령사회 기본계획'의 세부 계획으로 반영될 예정이다.

이와 함께 고령친화산업진흥법(안)을 국회에 상정하여 기틀도 마련하고 있다. 향후 고령 소비자 보호를 위한 안전기준의 마련, 고령자 관련 제품의 표준화 및 품질관리를 위한 제도적 개선, R&D 투자 확대 및 세제 지원, 산·학·관 공동연구기반 마련, 전문인력 양성 프로그램 마련 및 지원, 성공사례의 개발 및 확산 등에 대한 지원체계도 마련해야 할 것이다. 현재 교통, 식품, 의약품, 장묘, 의류, 교육 등 보다 다양한 고령친화산업을 추가 발굴하고 있는데 보다 종합적이고 체계적인 고령친화 산업 활성화 로드맵도 마련하여 시장에 내놓아야 할 것이다.

선진국의 경우 이미 고령친화산업의 중요성을 인식하고 있다. 해당 산업의 활성화를 위해 신시장 창출 및 지원 강화, 관련된 기술 인프라 정비와 확충, 전문인력 육성, 표준화 개발 및 적절한 규제, 성공사례 확산을 골자로 하는 혁신적이고 창의적인 정책 개발에 정부의 역할이 한층 강화되고 있음은 우리가 주목해야 할 부분이다.

5. 결론

고령화를 방지하기 위해서는 출산율 감소 등의 문제를 개선할 필요가 있는데 인식 문제, 미래에 대한 관점, 취약계층의 사회 진출 등의 다양한 문제가 원인이 되기 때문에 모든 것을 전부 해결해서 개선하기는 어렵다. 선진국의 경우에는 경제 성장기에 이미 고령화가 시작되어서 대부분은 현재 출산율이 낮은 상태다. 그래서 이들 주요 선진국의 정부는 상류층에 대한 적극적인 출산 장려보다는 저소득층을 대상으로 많은 출산을 권장하고 공공연금을 적극적으로 지급해 양육을 국가가 지원하는 등 나름대로 정책을 고심하고 있다. 그래도 노동력이 부족하면 외국인 이민 정책을 통해 이를 충당하는 경우도 있다.

현재는 선진국뿐만 아니라 다른 국가들도 고령화 때문에 고민하는 경우가 계속 늘어나고 있어 이를 전 세계적인 문제라고 해도 과언이 아니다. 그러므로 고령화사회의 문제점과 대책에 관한 고찰이 더욱더 필요한 시점이라고 볼 수 있다.

앞으로 우리는 초고령사회에 진입하게 되면서 노년기 경제 활동, 세대 통합, 노인 건강권 보장 등을 신경 써야 한다. 경제협력개발기구(OECD) 국가 중 한국은 노인 경제 활동 참가율이 높은 국가 중 하나이다. 은퇴와 동시에 경제적 활동 위축은 신체적 건강과 심리적 안녕과도 밀접하게 관련되므로 노년기 일자리와 경제적 자립 활동을 위한 대책 마련이 필요하다.

고령화로 인해 발생한 다세대 사회에서 세대 갈등과 세대 차이의 간극을 좁혀나가는 방안으로 지역 사회 교류를 통한 세대 공유 프로그램 등을 마련하여야 한다. 또한 노인의 건강 형평성 제고를 위한 인권과 건강권이 보장되어야 하고, 의료 비용이 가파르게 증가하는 상황에서 의료 이용과 관련된 장치 마련을 위한 노력이 있어야 한다.

고령친화산업은 신산업 수익 창출, 일자리 창출, 돌봄 인력 부족 문제 대응 등의 측면에서 경제·사회적으로 큰 효과를 미칠 것으로 보인다. 고령친화산업의 직접적 수혜자는 고령자이지만 기술을 개발하고 서비스를 제공하는 사람은 청년이므로 청년 일자리도 확충되며 이로 인해 고령친화산업이 세대 간 통합에 기여할 수 있을 것으로 전망된다.

그러나 이러한 긍정적인 측면도 있지만 사회적 창출로 노인 부양 문제가 대두되면서 노인의 소득과 돌봄 문제가 맞닿아 있다. 현재 국가에서 운영하는 소득보장체계에서는 저소득층을 대상으로 한 공공부조(국민기초생활보장제도), 전 국민을 대상으로 보험료 기반으로 운영되는 공적연금(국민연금) 제도가 있다. 또 강제 가입과 민간 자율 가입 등으로 추가 보장받을 수 있는 퇴직연금과 개인연금을 갖추고 있다. 자산을 기반으로 한 주택연금도 최근 적극 활용하고 있다. 돌봄 보장 체계에서도 전 국민 중 장기요양등급을 받은 노인을 대상으로 돌봄 서비스를 제공하는 노인장기요양보험과 함께, 노인 돌봄 서비스와 민간 영역의 민간 케어보험을 함께 운영하는 것이 필요하다. 주택연금에서도 연금 지급과 함께 돌봄 서비스 등 현물 서비스를 제공해 노후에 주택연금 가입자들이 소득과 돌봄을 안정적으로 보장받도록 하는 방안을 고려해야 한다.

OECD는 2040년이 되면 우리나라가 세계에서 요양 서비스 인력이 가장 부족한 국가가 될 것으로 전망하고 있다. 또한 근골격계 질환 등 신체적 부담이 큰 돌봄 인력의 소진, 이직, 고령화 등으로 이탈이 가속화하는 문제도 있다. 이를 보완하기 위해서는 기술의 도움을 받아야 한다. 다행히도 최근 정부에서는 고령 친화 기술의 중요성을 인식해 다양한 시도를 하고 있다. 윤석열 정부의 110대 과제에도 인공지능(AI), 사물인터넷(IoT), 로봇 등을 결합한 돌봄 기술 개발 지원 내용이 포함되었다. 특히 돌봄로봇 분야에서 한국은 2019년부터 이송보조로봇, 욕창예방로봇, 배설보조로봇, 식사보조로봇 등 네 종의 기술과 서비스 개발 연구가 이루어지고 있다.

이제 고령화 문제는 펀더멘털(Fundamental)[2] 변화로 이해해야 한다. 국민연금 등 소득보장체계 개편, 건강보험 변화, 고령자 고용정책 변화, 직장에서의 노쇠 등 전반적인 제도 개편이 필요하다. 실버 이코노미가 세 번째로 큰 경제 규모를 가진 유럽연합(EU)에서는 호라이즌 유럽, AAL(Active Assisted Living)을, 일본에서는 국가개호보험계획과 과학기술기본계획을 수립하고 국가 차원의 투자를 확대하고 있다. 미국과 중국에서도 비슷한 흐름이 나타나고 있는데 우리도 고령친화기술과 고령친화산업을 위한 국가 로드맵을 수립하고 지속적이고 과감한 투자를 실행해야 한다. 또 대학에서도 디지털 스마트 기술을 개발하고 서비스를 제공하는 융합형 문제해결형 전문인력 양성이 중요하다 하겠다.

2 '근본적인', '핵심적인', '기본적인'이라는 뜻으로 한 나라 기업 등 경제와 관련된 상태를 표현하는 가장 기초적인 자료를 뜻함. 국가의 성장률과 물가상승률, 실업률 그리고 경상수지 등의 거시경제지표를 가리키며 기업의 매출액, 영업이익, 판관비 등 기업의 상태를 나타내는 지표라는 의미로도 사용함

참고문헌

- 김수영 외 《실버산업의 이해》, 학지사, 2016.
- 유성호 외 《현대노인 복지론》, 학지사, 2016.
- 천진희 《노인의 삶의 질 향상을 위한 주거환경 디자인》, 집문당, 2008.
- 김경래 외(2018) 〈고령친화산업 내실화를 통한 노인가구 대상 일상생활 편익 증진 방안 연구 : 고령친화용구·용품을 중심으로〉, 한국보건사회연구원
- 김은경(2023) 〈고령친화적 지역사회 환경이 노인의 삶의 만족에 미치는 영향에 관한 연구〉, 비즈니스금융복합 연구 제8권 2호(2023.4.) p21-26.
- 김은경(2023) 〈고령친화적 지역사회 환경이 노인의 삶의 우울에 미치는 영향에 관한 연구〉, 한국산학기술학회 논문지 제24권 8호(2023.8.) p227-233.
- 김창명(2018) 〈인구 고령화, 산업구조 및 GDP 성장률 간의 관계 : OECD 17개국을 중심으로〉, 고려대학교 대학원석사학위논문
- 이현정(2021) 〈고령화시대 가족으로부터 소외되는 노년들 : 한국 현대 노년시대를 중심으로〉, 숙명여자대학교 한국어문화연구소 제30집(2021.8.) p209-241.
- https://kostat.go.kr/
- https://www.gettyimagesbank.com/
- https://search.naver.com/search.naver?where=nexearch&sm=top_sly.hst&fbm=0&acr=1&ie=utf8&query

저자소개

인치견 IN CHI GYOUN

학력

- 백석대학교 보건복지대학원 석사
- 백석대학교 기독교전문대학원 박사
- 서울사회복지대학원대학교 최고위과정 수료

경력

- 현) 법무부 교정공무원
- 현) 서울사회복지대학원대학교 외래교수
- 현) 서울사회복지대학원대학교 성폭력·가정폭력 예방 지도교수
- 현) 마약류중독분야 재활교육 전문강사
- 현) 한국기술대학교 능력개발교육원 NCS강사·
- 교육부 인권교육 강사
- 보건복지부 장애인인식 개선 강사
- 한국사회갈등조정학회 이사
- (사)코사코리아 이사
- 한국회복적사법정의전문가협회 이사

• 한국심리학회 회원
• 한국중독심리학회 회원
• 에듀사이버평생교육원 운영교수
• 세계사이버대학교 협력강사
• 한국생명존중희망재단 강사
• 국방부 집중인성교육 강사

자격

• 일반행정사
• 사회복지사
• 분노조절상담사
• 인성지도사
• 교정사회복지사
• 회복적교정보호전문가
• 중독심리심리사
• 심리상담사
• 생애위기상담사
• 성폭력·가정폭력예방 전문 상담원
• 한국에니어그램 일반강사
• 한국사회갈등조정전문가
• 라이프코칭전문지도사

저서

• 《멘토들과 함께하는 인생 여정》, 브레인플랫폼, 2024. (공저)

<논문>

• 교정공무원의 직무탈진감이 직무몰입 및 직업 안녕감에 미치는 영향 연구

- 사회통합을 위한 갈등해소방안에 관한 문헌연구
- 출소자의 사회복귀경험과 낙인, 차별, 편견 및 회복탄력성에 관한 연구
- 출소자의 사회복귀경험에 관한 Giorgi의 현상학적 연구

수상

- 법무부 교정국장상
- 법무부 장관상
- 법무부 인권공무원 선정
- 적십자 헌혈유공(금장)
- 법무부 우수지식인 선정(2회)
- 법무연수원장상
- 교정대상
- 한국법심리학회 최우수논문상

제5장

초고령사회의 패러다임과 유니버설 디자인

이병용

1. 패러다임과 고령화 디자인

고령 인구 비율의 증가는 낮은 출산율과 사망률이 주요 원인으로 나타나는데 국민소득의 증대와 생활, 문화의 향상, 과학 및 의료 복지의 발달로 인해 고령화가 더욱 가속화된다. 이러한 고령화가 빠르게 진행되면서 우리의 사회, 문화 속에서 새로운 사회적 가치와 패러다임의 필요성이 대두되고 있다. 이러한 고령화 디자인은 근대의학의 발달로 평균 수명이 높아지면서 누구나 직면하게 되는 노후의 삶에 대한 것으로서 사회, 문화적으로 편안하고 안락한 공생의 삶을 영위하는 고령의 생애주기를 수용하는 디자인을 의미한다.

현대사회는 더 이상 고령자를 필요로 하지 않는 듯하다. 과거 어떤 문제를 해결하기 위해 70세가 넘는 노인들이 혜안을 제시하던 때와는 분위기가 사뭇 다르다. 작금의 시대는 인터넷과 AI의 시대로, 문제를 해결하기 위한 정보나 도움을 받을 곳이 많아졌기 때문일 것이다.

노인을 존경한다는 말은 이제 옛말이 되어버렸다. 요즘은 경로우대 할인이나 정부보조금 지원을 빼면 나이를 먹는다는 것이 별로 좋은 점이 없는 것 같다. 하지만 이러한 늙음에 대한 시각을 부정적으로만 바라보지 말고, 적극적으로 받아들여 실천 가능한 삶의 철학을 만들어 보는 것이 어떨까 생각한다.

고령화에 대한 디자인(計劃, Plan)은 누구나 직면하게 될 미래 삶의 설계와 시대의 변화에 따른 개인의 가치관 정립은 물론, 복지체계와 풍요롭고 쾌적한 사회의 환경 조성을 의미하는 것이다.

고령화에 따른 노인들의 신체적, 생리적, 감각적, 인지적, 정서적 기능의 변화에 따라 행동에 미치는 영향을 살펴보고자 한다.

신체적 기능의 특징으로는 골격량의 감소로 관절이 약화하며 발의 탄성이 감소한다. 악력이 약해지고 민첩성, 지구력, 순발력과 균형감각이 저하된다.

이러한 변화가 행동에 미치는 영향은 다음과 같다. 골절의 위험성이 증가하고, 자주 미끄러지며, 낮은 문턱에도 쉽게 걸려 넘어지며, 굵기가 가는 손잡이를 잡는 데는 어려움을 느낀다. 또한 앉거나 서는 시간이 오래 걸리고 급하게 일어날 때 어지러움을 동반한다.

생리적 기능으로는 소변이 잦아지고 수면 시간이 짧아진다. 쉽게 잠에서 깸으로써 화장실 사용의 빈도가 높아지고 수면의 패턴이 불규칙해지면서 불면증이 생긴다. 감각적 기능으로는 시력 감퇴와 색채, 지각 인지와 청각, 후각 기능이 저하되어 냄새에 둔감한 변화가 온다. 또한 미각 기능의 저하로 맛의 감각이 둔해지며 피부가 건조해진다. 이러한 변화로 인해 밝고 어둠에 대한 적응 시간이 길어지고 말소리를 잘 알아듣지 못한다. 가스 냄새를 잘 맡지 못하고, 맛의 구분이 둔해지며, 상처가 생기기 쉽고 화상을 입기가 쉬워진다.

인지적 기능으로는 지각, 기억, 지능 등 정신 신경 기능이 저하되고 단기기억이 감소된다. 이러한 변화로 물건을 둔 장소를 잘 기억하지 못하고 새로운 기능을 익히는 데 어려움이 있으며 자신의 물건에 대한 애착이 깊어진다.

정서적 기능으로는 혼자 보내는 여가 시간이 많아지고, 고독감과 우울감을 느낄 수 있다. 이로 인해 지속적인 사회관계망과의 유대가 감소할 수 있고 사고 발생 시 방치될 수 있다.

노화란 변화하는 사회적 환경뿐만 아니라 신체적이고 심리적인 동적 변화에 적응하는 것을 의미한다. 고령자의 신체적, 인지적 기능의 변화에 대응하며, 다양한 사용자를 포용할 수 있는 유연한 제품과 환경 요소를 고려한 유니버설 디자인의 개발과 서비스의 확대가 필수불가결한 요소라 할 수 있다.

이러한 신체적 기능의 변화는 물론, 산업화, 도시화, 핵가족화가 진전됨에 따라 고령 세대의 문화와 환경적 요소가 세대 간 차이의 갈등 요소로 나타나고 있다. 고령자의 생애주기가 길어짐으로써 취미나 여가생활, 독립생활, 사회활동에 참여를 통한 자아 발견이나 삶의 질 향상이 필요한 요소로 대두되고 있다. 그러므로 고령화에 대비한 자신의 생애주기에 대해서 전반적인 디자인이 필요한 것이다.

2. 유니버설 디자인

(1) 유니버설 디자인의 개념과 원칙

유니버설 디자인(Universal Design)은 성별, 나이, 장애, 언어, 국적 등과 관계없이 사용자의 제약을 받지 않도록 설계하는 것이다. 즉 누구나 손쉽게 사용할 수 있는 보편적 제품 및 건축, 환경과 서비스를 구현하는 개념이다. 무장애 디자인(Barrier free Design)에서 출발한 유니버설 디자인은 '모두를 위한 디자인(Design for All)'으로 보편적 디자인, 범용 디자인, 더 넓은 의미에서는 인간을 위한 디자인(Design for Humanity)이라고도 할 수 있다.

고령화 시대에 있어서 이러한 유니버설 디자인은 우리의 사회, 문화, 복지 부문에서는 필수불가결한 요소라 할 수 있다. 누구나 직면하게 되는 노후의 일상생활에서 불편함 없이, 평등하게 살아갈 수 있도록 배려해 주는 유니버설 디자인은 우리의 삶과 사회를 풍요롭게 하는 디자인이라 할 수 있다. 보편적이고 범용적인 사용성을 지니기 위해서는 기본적으로 고려해야 할 요소를 포함한 유니버설 디자인의 7가지 원칙이 있다.

첫째, 동등한 사용의 공평성(Equitable Use)으로, 모든 사용자가 대등하고 공평하게 사용하거나 이용할 수 있어야 하며, 구별하거나 차별하지 말아야 한다. 즉 모든 사용자가 같은 방법으로 사용하는 것을 말한다.

둘째, 사용의 유연성(Flexibility in Use)으로, 하나의 방법으로 사용하는 것이 아니라 사용자의 관점과 다양한 방법 중에서 선택하여 자유롭게 사용할 수 있도록 한다. 예를 들면 왼손잡이와 오른손잡이 모두 다 사용이 가능해야 한다.

셋째, 단순성과 직관성(Simple and Intuitive Use)으로, 사용자의 경험이나 지식과 상관없이 알기 쉽고 사용하기 쉬워야 한다. 이것은 필요 이상으로 복잡하지 않게 하는 단순성과 처음 접하는 사용자도 쉽게 이해하여 직관적으로 사용하는 것을 말한다.

넷째, 정보의 인지성(Perceptible Information)으로, 그림, 언어, 촉감 등에 의한 정보가 사용자에게 효과적으로 전달할 수 있어야 한다. 필요한 정보의 기술이나 전달 방법을 쉽게 사용할 수 있도록 적합성을 높여주어야 한다. 예를 들면 그림으로 표시하거나 소리에 의한 전달과 손으로 만져서 알 수 있는 촉감에 의한 정보를 말한다.

다섯째, 오류에 대한 안전성(Tolerance of Error)으로, 오류와 위험 요소를 최소화하는 것, 즉 사용자가 잘못 사용하더라도 최소의 위험 요소로 대처할 수 있어야 하며, 안전에 대한 요소를 고려해야 한다.

여섯째, 물리적 효용성(Low Physical Effort)으로, 적은 힘과 동작을 반복하지 않아도 편리하게 사용이 가능한 것을 말한다.

일곱째, 접근과 사용이 가능한 공간 확보(Size and Space for Approach Use)로, 다양한 신체조건의 사용자가 접근, 이동, 수납이 쉽게 사용할 수 있어야 한다. 즉 사용자의 체형, 자세, 이동성과 무관하게 접근하고, 사용하기 편하도록 크기와 공간을 확보한다.

이러한 유니버설 디자인은 유니버설적 발상에 기인하여 설정, 요구사항, 계획, 설계, 실시, 평가, 유지 관리, 개선 관리로 이루어져야 한다. 문제 해결의 영역을 폭넓게 확장함으로써 사용자의 필요 요구사항을 수용해야 한다. PLAN(계획)-DO(실시)-CHECK(점검)-ACTION(개선)의 PDCA 사이클로 목표를 설정하고 개선하는 순환적인 사이클을 의미하는 것이다.

(2) 유니버설 디자인의 목적

유니버설 디자인은 사람의 활동 요소인 인체 측정, 생물역학, 지각심리, 인지심리의 4가지 요소에 초점을 맞추고 있으며, 인간의 활동과 사회 참여 요소와 사회 참여의 결과를 디자인하는 3가지 요소를 목적으로 하고 있다.

인간의 활동 요소에 초점을 맞춘 4가지 요소는 사용자의 체구에 범위를 맞춘(Body Fit), 몸 움직임의 예상 한도를 편안하게 하는(Comfort), 사용자가 정보를 쉽게 알 수 있게 하는(Awareness), 작동 방식을 직관적으로 명확하게 이해하는(Understanding) 것이 목적이다.

인간의 활동과 사회 참여 요소는 질병과 위험으로부터 보호하여 건강에 도움이 되도록 하는(Wellness) 것을 말한다. 사회 참여의 결과를 보여주는 3가지 요소는 모든 집단에 대한 존엄성을 인정하고, 존중하며, 대우하는 사회 통합에 기여(Social Integration)와 선택의 기회를 주고 각자의 특성에 맞게 하고(Personalization), 문화적 가치와 사회적, 환경적, 문화에 맞게(Cultural Appropriateness) 맥락을 존중하는 것을 목적으로 한다.

유니버설 디자인의 다른 목적으로는 경제성, 심미성, 시장성을 들 수 있다.

고령자나 장애인만을 위한 제품이나 환경을 구성하는 데 초점을 둔 것이 아니라 모든 사용자가 보편적으로 사용하기 때문에 경제적이라 할 수 있다. 또한 특별한 제품이나 환경과 상관없이 사용자에게 심미적으로 쾌적한 즐거움을 주고, 누구나 접근이 가능한 제품과 환경을 제공함으로써 보다 큰 유연성으로 시장성을 확보할 수 있다.

결국 유니버설 디자인은 혁신적인 사고(Progressive Thinking)와 창의적인 사고(Creative Thinking)로 이루어진 디자인의 결과물로 21세기 디자인의 창조적 패러다임(Paradigm)이다.

3. 고령화사회와 유니버설 디자인

(1) 유니버설 고령친화사회

고령자의 자립생활을 돕거나 요양이 필요한 고령자의 삶의 질을 향상시키는 제품과 서비스를 제공하는 산업을 고령친화산업이라 일컫는다. 고령친화산업(Senior-Friendly Industry)은 고령자를 위한 요양 서비스, 주거 서비스, 여가 서비스, 보험·금융 서비스, 의료 서비스, 관광 상품, 자산 관리, 의약품, 식품, 화장품 등이 있으며, 제품으로는 고령자가 조작 및 인지하기 쉽고 사용이 편리하며 고령자에 대한 정신적, 신체적 특성을 배려하는 제품을 말한다.

현재 우리 사회의 고령친화산업은 공익성과 수익성을 동반한다고 할 수 있다. 이는 정부의 사회, 복지지원 정책에 따라 고령친화산업이 촉진되고 활성화가 이루어지는 것임을 알 수 있다. 고령 인구의 급증으로 주거, 여가, 금융, 의료 서비스 산업의 발전과 확대가 예측됨에 따라, 단순한 정부의 정책적 지원이 아니라 고령자의 특성에 맞는 맞춤형 복지 서비스가 필요할 것이다.

유니버설 측면에서 고령친화의 사회환경은 고령자를 포함한 사람들이 쾌적하고 안전하게 활동할 수 있는 도시환경과 생활환경의 확보가 필요한 것이다. 이러한 인간 중심의 도시공간은 공유하고 소통하며 배려하는 사회, 문화를 의미하며, 쾌적하게 생활할 수 있는 공생의 도시를 구축하는 것을 의미한다. 도로, 인도, 횡단보도, 정류장, 저상버스, 교통신호 체계를 포함한 교통 서비스와 공원, 산책로, 화장실, 가로등 보도블록, 표지판 등 공공의 환경 분야를 말한다.

이러한 유니버설적 사고에 기반을 둔 공생의 마을 만들기 일환으로 지역사회와 융합된 일본 나고야시의 병원 사례를 살펴보자. 이 병원은 환자 치료는 물론, 체조 등의 건강 유지 활동을 위한 피트니스 시설과 카페, 조리원, 체육시설, 독서실 등의 시설을 만들고 의료라는 틀에서 벗어나 지역사회를 융합시키는 서비스까지 제공하고 있다. 의료도 발전하고 지역의 활성화 측면에서 유니버설적 개념의 사고와 관점의 새로운 시사점을 제시하는 성공사례라 할 수 있다.

이러한 유니버설적 고령친화사회 및 환경은 인간 중심의 모든 사용자가 건강하고 편리한 사회, 문화를 이룰 수 있도록 사용자를 배려하고, 도시공간의 쾌적성과 안전성, 이동성을 확보하여 공공의 사회, 환경에 대한 접근성을 극대화하는 인프라 시스템을 말한다. 고령자의 삶의 질을 향상시키는 고령친화산업과 더불어 폭넓은 고령친화환경, 도시, 사회로의 발전이 시급하다고 할 수 있다.

(2) 유니버설 주거환경 디자인

고령자들의 생활환경 범위는 주거공간과 인접된 마을 안에서 이루어지므로 고령자의 사회적, 신체적, 심리적 요인은 생활환경에 있어서 매우 중요한 의미를 지닌다. 주거환경은 안전, 건강, 편안함, 편리함과 개인적 독립환경에 대한 심리적인 통제감을 보장하는 공간으로 디자인되어야 한다. 고령자의 특성을 이해하여 안전하고, 쾌적한 주거환경을 만족하게 해준다면, 신체적, 정신적 건강과 삶의 질이 향상될 것이다.

특히 고령 세대를 위한 주거공간과 환경의 문제는 다른 디자인과는 달리 계층의 범위와 기호의 범위, 인간공학적 배려, 지각적 인식과 조작능력, 제품과 환경의 공간적 대응, 신체의 노화 과정의 변화, 생활 양식의 변화에 따라 그 설정의 범위가 가장 광범위하다고 할 수 있다.

고령자의 주거환경은 공간의 구성과 색채계획, 가구와 조명의 배치와 안전에 대한 요소를 고려해야 한다. 주거환경에서 가장 많은 시간을 보내는 곳은 거실과 침실, 다음은 화장실과 주방, 현관의 순서로 시간을 보내는 경우가 많다. 거실과 침실에서 낙상사고를 포함한 안전사고가 가장 많이 나타나고 있으며, 사용 빈도가 높고 긴 시간을 갖는 제품이 침대와 소파, 서랍장이다. 침대, 소파, 서랍장 형태의 가구 모서리에 대한 안전성과 돌출부위와 문턱 걸림의 최소화로 잠재적 위험 요소를 제거함은 물론, 미끄럼이나 화재에 대비한 안전한 소재를 사용해야 할 것이다.

신체적 특성을 고려하여 사용상 안전하고 편리하게 사용할 수 있어야 하며 주거환경의 특성상 집과 조화를 이룰 수 있는 자연적 질감의 느낌이나 인지하기 쉬운 색상을 적용하는 것이 좋다. 심리적 안정감으로 건강한 정신과 신체를 위한 주거환경의 조성은 고령자의 관점에서 일반인과는 달리 큰 의미를 지니고 있다.

공간의 구성은 고령자의 이동 동선의 흐름과 사용의 편리성에 따른 배치가 필요하다. 침대의 등받이 조절, 안전 가이드, 소파나 의자의 팔걸이, 바퀴가 있어서 이동이 쉬운 침대와 서랍장, 높낮이 조절이 가능한 싱크대, 책상과 같이 안전하고 편안하게 신체적 자립 요소를 부여할 수 있는 유니버설적 관점이 필요한 것이다. 이는 고령자를 포함한 다양한 사용자들을 유연성 있게 배려해야 한다.

고령자에게 있어서 활동 요소인 움직임은 가장 중요한 요소로 이동 중에 언제 어디서든 쓰러지거나 다칠 수 있기에 안전하게 자립할 수 있는 환경 구성은 필수적인 요소이다. 이는 욕실이나 화장실의 사용 환경으로 미끄럼 방지를 위한 안전 손잡이나 바닥의 재질, 높이, 모서리의 안전, 비상벨, 인터폰의 설치로 안전하고 건강한 공간을 구성하는 것을 의미한다. 이러한 안전한 디자인은 사용자의 입장에서 물리적, 심리적 위험을 자각하고 다룰 수 있어야 한다.

더 나아가 1인 가구의 생활이나 혼자 샤워를 하다 발생할 수 있는 안전에 대한 배려로 폭넓은 유니버설적 사고의 디자인을 의미한다. 이러한 고령자의 특성을 이해하고 개성을 존중한 주거환경 디자인은 정신적, 신체적 삶의 질을 향상시키며, 사회, 문화의 복지적 차원에 긍정적 효과를 미칠 것이다.

(3) 유니버설 제품 디자인

노화에 따른 신체적, 인지적, 감각적 기능의 변화에 대응하는 고령자를 포용할 수 있는 요구가 커짐으로써 단순한 미적 아름다움이 아닌, 공존과 공유를 위한 유니버설 제품 디자인이 필요한 것이다. 이는 고령자나 활동에 제약이 있는 사용자와 다양한 사용자의 요구를 만족시켜주는 것으로, 누구나 사용이 편리하고 쾌적한 유니버설 제품 디자인을 말한다.

신체적, 정신적, 인지적 능력의 전반적인 변화와 생애주기가 바뀌어도 사용상 무리가 없는 가변적 디자인과 변화하는 시대 환경에 대응할 수 있는 적응성을 수용해야 한다. 또한 단순하고, 안전하며, 편리하고, 쾌적한 제품으로 삶의 질을 높여주는 제품이어야 할 것이다.

고령화 시대의 유니버설 제품 디자인은 사용자의 범위를 구별하지 않고 모든 사용자의 편리성과 다양한 방법 중에서 선택할 수 있는 유연성을 포함해야 하며, 처음 사용하는 사용자도 쉽게 사용할 수 있는 단순성과 직관성을 가지고 있어야 한다.

제품 사용상의 정보를 그림, 소리, 촉감에 의해 쉽게 전달할 수 있도록 인지성과 적합성을 높여야 하며, 제품 사용상의 오류를 최소화하여 안전상의 요소를 고려해야 한다. 또한 적은 힘으로도 편리하게 사용할 수 있는 물리적 효용성을 포함하며, 다양한 사용자가 사용할 수 있도록 가능한 공간 확보가 있어야 한다.

유니버설 제품 디자인으로는 신체적으로 손의 악력(Grip Strength)이 약한 사용자를 위한 가위, 약한 악력과 미끄럼 방지를 위한 레버형 손잡이, 옷에 끼우기 쉽도록 한쪽이 얇으면서 오목한 타원형의 단추, 인식이 쉬운 숫자와 누르기 편한 전화기, 손잡이가 달린 샤워기, 약 복용을 잊어버리지 않게 하는 요일별 약통 등의 생활용품이 있다.

노화에 따른 신체적, 생리학적, 심리적 특성은 각기 다른 사람에게 다른 비율로 나타난다. 즉 노화의 과정은 모두에게 똑같지 않다는 것이다. 이러한 사용자의 인체공학(Ergonomics)적인 요구와 인간적인 요소(Human factors)인 사용자의 특성, 능력, 동작, 실행에 대한 과정으로 노화의 동적인 변화에 대한 정보를 이해해야 한다.

노화는 진행 과정이지 상태가 아니며, 사람마다 진행 과정이나 속도가 다양하다. 또한 질병과 노화를 혼동하지 말아야 할 것이다. 이러한 고령자의 동적 변화에 대한 요소를 고려한 디자인은 모든 사용자에게 유용한 유니버설 디자인을 위한 접근 방법이다.

(4) 유니버설 커뮤니케이션 디자인

종종 낯선 도시에서나 대형건물, 지하철, 공공시설물을 이용하면서 출입문이나 화장실을 찾지 못해 불편을 겪거나 당황한 적이 있었을 것이다. 타지에서 이정표만 보고 목적지를 찾다가 상당한 시간을 허비한 적도 있었을 것이다. 또한 낯선 곳에서 운전을 하다가 목적지를 놓쳐버린 경우도 있을 것이다.

시설물이나 건물, 도로에서 목적지를 찾기 위해 그림문자를 활용하는 경우가 많은데 이러한 그림문자를 픽토그램(Pictogram)이라고 한다. 픽토그램은 그림(Picto)과 메시지라는 의미를 갖는 전보(Telegram)의 합성어로, 일종의 시각언어이다. 유도, 지시, 위치, 안내 등의 표지로 사용되며, 통계 그래프, 지도, 기기류의 조작 표시에 이르기까지 다양하게 사용되고 있는 시각 전달 디자인(Visual Communication Design)으로서 그래픽 심벌(Graphic symbol)이라고도 한다.

이러한 픽토그램은 사물, 사람, 동물, 시설물 등을 사용자가 쉽게 알아볼 수 있도록 상징적으로 표현하는 것이다. 지하철, 관광안내소, 공공시설, 비상구, 교통표지, 안내지도 등에 활용되어 언어, 연령, 지역, 문화의 장벽을 뛰어넘어 의미를 전달하는 것으로서 누구나 보편적으로 쉽게 이해할 수 있어야 한다. 그런데 우리는 가끔 신문이나 매스컴을 통해 대형 화재가 발생했을 때 비상구를 찾지 못해 많은 사람이 희생되는 상황을 접하게 된다.

유니버설의 고령화 시대에 있어서 이러한 픽토그램과 유도 사인은 일반인 사용자는 물론, 고령의 사용자를 포함하여 기능과 안전성 측면을 고려하여 합리적인 배치와 인지성과 가독성을 높이는 데 중점을 두어야 한다.

필자가 얼마 전 독일 출장 때 독일 쾰른의 한 시내에서 신호등의 적색 신호가 2개 켜져 있는 것을 볼 수 있었는데, 이는 적색 신호가 보행자나 고령자의 시선에 잘 보일 수 있도록 한 것으로서 보행자의 안전을 배려하는 사려 깊은 그들의 문화를 읽을 수 있었다.

픽토그램과 유도 사인은 세계 공용어로서 어떤 시설물인지, 어디를 가든지 한눈에 그 의미를 알 수 있어야 한다. 언어나 문자, 지식과는 상관없이 누구나 쉽게 이해하고 인식할 수 있도록 하는 것이다. 공중전화, 비상구, 신호등, 화장실, 금연 표시, 안전 표시 등은 세계 공용의 시각언어이다. 즉 비상구의 녹색이나 안전을 표시하는 노란색은 세계 어디를 가든지 인식할 수 있는 공용의 색이라 할 수 있다.

고령자의 시력 저하와 인지 능력의 감소에 따른 교통사고 예방을 위하여 고령자가 선호하는 색상과 인지성을 고려할 필요가 있다. 그래픽과 색상의 명도 차이를 적용한 셔틀버스의 색채 디자인, 지하 주차장의 보행 공간을 유도하여 적용한 유니버설 컬러 디자인을 예로 들 수 있다. 대기오염 정보를 얼굴 표정으로 표현한 현황판, 사거리 횡단보도의 4면 동시 신호체계, 횡단보도 바닥에 설치한 적색과 녹색의 LED 또한 일반인과 고령자의 안전을 배려하는 유니버설 디자인의 사례라고 볼 수 있다. 이처럼 사인, 픽토그램, 색채 적용을 통한 고령친화적인 사회, 문화의 확산이 필요하다.

유니버설 디자인 적용 사례

레버형 손잡이

안전 가이드를 설치한 화장실

오염정보를 표정으로 시각화한 현황판

사거리 횡단보도 LED 동시 신호체계

화장실 평면도 안내판

화장실 안내 픽토그램

4. 친사회성의 고령화 디자인

지금까지 고령화 시대의 유니버설 디자인의 여러 서비스 유형에 대해 살펴보았다. 이러한 고령화사회 진입에 대한 패러다임은 사회적, 경제적, 문화적 요소를 예견, 분석하고 이를 토대로 미래 사회를 대비하고 고령자의 사회 활동 참여의 기회와 자아 발견의 기회를 통해 새로운 삶의 창출을 유도해 나가야 할 것이다.

경제적, 신체적, 개인적 요소의 미시적(Micro) 관점과 사회체계, 복지제도에 대한 서비스 측면의 거시적(Macro) 관점의 측면으로 접근할 수 있다. 결국 고령화사회에 대한 디자인 서비스의 접근은 고령자에 대한 세대 차이와 문화 소외 현상의 간격을 줄여 사회 참여 구성원으로서의 인식을 인지시켜야 할 것이다. 그것은 고령 세대의 맥락에 맞는 의식 동향과 사용할 제품과 환경 시스템의 구조 안에서 진정으로 고령 세대가 필요한 것을 직시해야 한다.

이는 고령 세대의 새로운 가치관 정립과 더불어 고령 세대층 특유의 요구(Needs)에 부합되는 유니버설 디자인에 있어서 제품, 공간, 환경적 요소와 서비스 디자인 체계에 대한 변화가 필요함을 의미한다. 현재의 시점에서 경제적, 신체적, 개인적 요소의 미시적 관점과 사회, 복지체계의 거시적 관점에서 고령 세대를 위한 유니버설 디자인의 과제를 풀어나가야 할 것이다.

우리의 주변에도 고령층을 겨냥한 디자인과 공간, 환경의 서비스가 몇몇 제공되고 있지만, 경제성, 수익성을 탓한 나머지 고령산업의 활성화가 이루어지지 않고 있다. 고령 세대를 위한 제품과 공간, 환경의 디자인 문제는 다른 디자인과는 달리 계층의 범위와 기호의 범위 인간공학적 배려, 지각적 인식과 조작 능력, 제품과 환경의 공간적 대응, 신체의 노화 과정의 변화, 생활 양식의 변화에 따라 그 설정의 범위가 가장 광범위하다고 할 수 있다.

고령 세대를 위한 디자인 요소는 제품과 환경의 잠정적 요소를 포함해야 할 것이다. 그것은 융통성, 적응성, 선택성, 수정성, 변화성, 다양성 등의 잠정적 개념과 요소로 집약되며, 개성화, 프라이버시, 자기 존엄, 환경적 자극, 권위존중, 개별성 등의 요소를 포함할 수 있다.

이와 더불어 제품과 공간, 환경이라는 유형의 구성 요소를 포함해야 할 것이다. 고령 세대를 위한 유니버설 디자인은 그들만의 특수한 디자인을 의미하는 것이 아니다. 그것은 고령자 전용의 전화기나 제품, 공간 환경을 의미하는 것이 아니라, 모든 사람이 다 같이 폭넓게 사용하거나 공유할 수 있는 '공유의 가치 영역(Shared Value Areas)'을 창출함을 의미한다.

앞으로의 미래 사회는 평균 수명의 연장 및 고령 인구의 증가로 누구나 직면하게 되는 노후에 대한 젊은 세대의 사전 준비와 노력, 사회, 국가적 제도의 정비와 아울러 고령사회를 위한 유니버설 디자인으로 안락한 노후를 맞이할 수 있도록 배려해야 할 것이다.

유니버설 디자인은 나이, 장애, 언어, 국적과 관계없이 누구나 쾌적하게 생활할 수 있는 사회, 문화적 디자인의 시사점을 제시하는 것으로, 더 나아가서는 하나의 문명을 창조하는 것이라 할 수 있다.

급변하는 현대사회에 있어서 디자인과 사용자의 요구를 결합하여 삶과 생활의 질을 향상시킴으로써 인류 문화의 창조에 기여하는 사회 문화적 가치를 가지고 있다고 할 수 있다.

고령화 시대의 유니버설 디자인은 고령자를 포함한 다양한 사용자의 요구를 포용함으로써 디자인을 통한 사회 평등의 실현을 의미한다. 더 큰 의미에서는 일과 삶을 조화롭고, 균형 있게 하는 워라밸(Work-life balance)의 실현을 의미하는 것이기도 하다. 고령화사회에 대한 배려와 복지정책, 환경조성이 21세기 문화 선진국으로의 이행이라 할 수 있다.

참고문헌

- 엘리자베스 M. 토마스, 《품위 있게 나이 든다는 것》, 최유나, 홍익출판미디어그룹, 2021.
- Roberta L. Null, Ph.D. 《유니버설 디자인》, 이연숙 교수 연구실, 태림문화사, 1999.
- 이연숙, 《유니버설 디자인》, 연세대학교 출판부, 2005.
- 이호창, 여민우, 최정환, 《유니버설 디자인의 이해》, 일진사, 2014.
- 미호시 아키히로 외 2명 공저, 《공생의 유니버설 디자인》, 이석현, 장진우, 미세움, 2017.
- 이병용, 《디자인 포트폴리오 칼럼 1(e-BOOK)》, 책내다, 2021.
- 이병용, 〈디자인의 사회문화적 가치창출에 관한 소고〉, 《청주대학교 예대학보》, 1991.
- 황흥구, 〈인천시 초고령사회 대비 고령정책 방향 연구〉, (재)인천광역시사회서비스원·인천고령화사회대응센터, 2022.
- 이충훈, 〈고령화 시대를 위한 유니버설 디자인〉, 《충남발전연구원 리포트》, 50호, 2011.
- 〈유니버설 디자인 어르신 가구 가이드북〉, 서울특별시 문화본부 디자인정책과, 2021.
- 〈고령친화산업 유망서비스도출 및 고령친화 서비스 활성화 방안 연구〉, 한국보건산업진흥원, 한국표준협회, 2022.
- 정선영, 〈고령자를 위한 유니버설 측면에서의 제품디자인 실태연구〉, 한국기술교육대학교, 디자인공학과
- 위키백과, 〈유니버설 디자인〉, 모두의 백과사전, 2012.
- 고령친화산업지원센터, 인터넷 자료

저자소개

이병용 LEE BYUNG YONG

학력

- 청주대학교 산업디자인학 학사

경력

- 현) ㈜일광산업 디자인연구소 연구소장
- 전) 영림목재(주) 가구사업본부 실장
- 전) 명진실업(주) 디자인연구소 소장

<평가, 자문, 심사, 전문위원, 컨설턴트: 현재>

- 2020~ KAIA국토교통과학기술진흥원 평가, 자문위원
- 2015~ IITP정보통신기획평가원 평가위원
- 2008~ KEIT한국산업기술기획평가원 평가위원
- 2018~ TIPA중소기업기술정보진흥원 평가위원
- 2022~ SBDC중소기업유통센터/공공구매 심사, 평가위원
- 2023~ SBA서울경제진흥원 평가위원
- 2023~ STARTUP창업진흥원 평가위원

- 2023~ KIDI한국섬진흥원 컨설턴트
- 2024~ ITP인천테크노파크 평가위원
- 2022~ GTP경기테크노파크 지식재산센터 전문위원
- 2004~ KIDP한국디자인진흥원 심사, 평가위원
- 2022~ RIDP지역디자인통합플랫폼 전문위원
- 제55, 56, 58회 대한민국디자인전람회 심사위원
- 2020~2022 우수디자인(GD) 상품선정 심사위원
- YTN 사이언스타큐 디자인속 황금비율 인터뷰

자격

- 디자인 컨설턴트(KIDP한국디자인진흥원 외)
- 메타버스 비즈니스전문가
- 스피치지도사 1급

저서

<e-BOOK>

- 《생각을 3배로 디자인하는 마법의 씽킹1》, 책내다, 2021.
- 《디자인 포트폴리오 칼럼1》, 책내다, 2021.
- 《초등 학습능률을 폭발시키는 엄마의 코칭》, 아이이북, 2022.

제6장

초고령사회를 대비한 고령친화산업 육성

신현명

1. 너무 빨리 다가오는 고령화의 빙산

(1) 인구 고령화의 의미

우리 사회는 지금 인구 고령화라는 새로운 문제에 직면하고 있다. 인간에게 오래 사는 것, 즉 장수(長壽)는 동서고금을 막론하고 인간의 한결같은 소원의 하나이고 누구나, 언제나 바라던 꿈이었다.

인구 고령화란 사람들이 점점 더 오래 살게 된 결과로 나타난 현상이다. 사람들이 과거에 비해 더 오래 산다는 점에서 인류가 원하던 그 목적을 달성한 것처럼 보인다. 그러나 인구 고령화는 예기치 못한 새로운 많은 문제들을 제기한다.

노인 수발을 위한 제도를 어떻게 구성할 것인가, 그와 관련된 비용은 누가 지불할 것인가 등의 거시적 문제로부터 늘어난 노후를 의미 있게 보내는 방법은 무엇인가, 노인과 자녀를 포함하는 가족과의 관계는 어떻게 변화할 것인가 등의 미시적 문제에 이르기까지 인구 고령화는 과거에는 문제가 되지 않았던 사안으로 과거의 제도로는 해결하기 어려운 다양한 문제들을 제기하고 있다.

우리나라는 선진국에서 볼 수 없었던 빠른 고령화 속도를 보이고 있고 인구의 고령화로 인해 다양한 노인 문제의 발생과 함께 사각지대에서 힘들어하는 노인 인구도 많이 증가하고 있다. 이런 다양한 노인 문제는 노인의 개인적인 문제이기보다는 사회의 구조적인 문제라고 볼 수 있다.

특히 급속한 산업화와 경제 성장 속에서 인구의 도시 집중화, 가족 형태의 변화(대가족에서 핵가족화)를 가져왔으며, 우리나라의 전통문화가 사라지고 선진국의 영향을 받아 새로운 문화가 형성되고 있다.

인구 고령화는 전체적으로 중위연령(median age)[1] 인구가 늘어난다는 것을 의미한다. 즉 아동의 출산율과 노인의 사망률이 점점 떨어짐으로써 당연히 노인 인구가 증가한다는 것이다. 인구 고령화는 노인 인구 비율이 상대적으로 증가하는 현상이기 때문에 근본적인 원인은 평균 수명 연장과 출산율 저하라 할 수 있다.

또한 인구 고령화와는 구별되는 개인 고령화는 시간의 경과(연령의 증가)에 따라 개인에게서 나타나는 신체적·생리적 변화 현상을 의미하지만 단순히 개인의 수명이 연장되는 것을 의미하는 경우가 많으며, 국가·사회 구성원 개개인에 대한 개념이다.

---

1 전체 인구의 연령을 최저에서 최고까지 순서에 따라 나열했을 경우 전체를 절반으로 나누는 값에 해당하는 연령을 말한다.

(2) 고령화사회의 분류

UN에 의하면 전체 인구 중 65세 이상의 인구가 4% 미만인 국가는 젊은 인구국가(Young population), 4~7%는 성인 인구국가(Mature population), 7% 이상은 노인 인구국가(Aged population)로 나누고, 다시 노인 인구국가는 노인 인구의 비율이 7%인 경우를 고령화사회(aging society)로, 14%에 이르면 고령사회(aged society)로, 20%가 되면 초고령사회(super-aged society)로 정의하고 있다.

이미 선진국들은 고령화사회에 진입하였고 곧 고령사회에 진입하게 된다. 전 세계적으로 60세 이상의 고령 인구 비중은 2015년 12.3%에서 2030년 16.5%, 2050년에는 21.5%로 증가할 것으로 예상되고 있으며, 우리나라의 경우는 2000년도에 전체 인구에서 65세 이상의 노인이 이미 7%가 넘었고, 2018년에는 14%가 넘었으며, 2026년에는 20%가 넘어 초고령사회에 진입할 것으로 추정되고 있다. 전 세계에서 유례를 찾아볼 수 없을 정도로 급속한 고령화 속도를 보이고 있다.

노인 인구의 증가 추이

구분 \ 연도	1980	1990	2000	2010	2012	2018	2026	2030	2060
노인 인구 비율	3.8	5.1	7.2	11.0	11.8	14.3	20.8	24.8	40.1
노인 인구수 (만 명)	145	219	339	545	589	716	1,035	1,269	1,762

출처: 보건복지부, 노인 인구 추계

(3) 초고령사회로의 변화 대응방안 마련 필요성

우리나라는 기대수명의 연장과 함께 저출산 추이가 확대되면서 타 OECD 국가에 비해 인구 고령화가 급속히 진행되는 특징을 보이고 있다. 이에 따라 향후 생산가능인구의 부족, 노동 생산성 저하, 의료 비용의 증가, 세대 간 갈등 증가 등 경제·사회적으로 많은 문제점을 초래할 것으로 전망되고 있다.

다음과 같이 2020년 한국의 고령 인구 비중은 OECD 국가 중 가장 낮으나 2070년에는 가장 높아질 것으로 전망되고 있다. 따라서 초고령사회로의 급속한 변화에 따른 대응방안 마련이 국가·사회의 전 분야에서 요구되고 있으며, 수요 및 공급, 생산성, 국가 경쟁력 등 산업 전반에서 고령화의 영향이 증가함에 따라 대응방안 마련이 시급한 시점이다.

통계청 발표: 국제 비교

ㅇ유엔(UN) 인구 추계에 따르면, 2020~2070년 사이 OECD 일부 국가에서도 인구감소 현상 전망
-인구 계속 감소: 일본, 이탈리아, 한국, 스페인, 폴란드, 체코 등 13개국
-인구 증가 후 감소: 멕시코, 터키, 독일, 프랑스, 콜롬비아, 칠레 등 13개국
-인구 계속 증가: 미국, 영국, 캐나다, 호주, 벨기에, 스웨덴, 이스라엘 등 12개국

ㅇ 한국의 생산연령인구 비중은 2020년 72.1%로 OECD 국가(2020년) 중 가장 높은 수준이나, 2070년(46.1%)에는 가장 낮아질 전망

ㅇ한국의 고령인구 비중은 2020년 15.7%로 OECD 국가(2020년)들에 비해 낮은 수준이나, 2070년(46.4%)에는 가장 높아질 것으로 예상
ㅇ한국의 총부양비는 2020년 38.7명으로 OECD 국가(2020년) 중 가장 낮은 수준이나, 2070년(116.8명)에는 가장 높은 수준이 될 것으로 예상

OECD 국가별 총부양비 비교(2020년, 2070년)

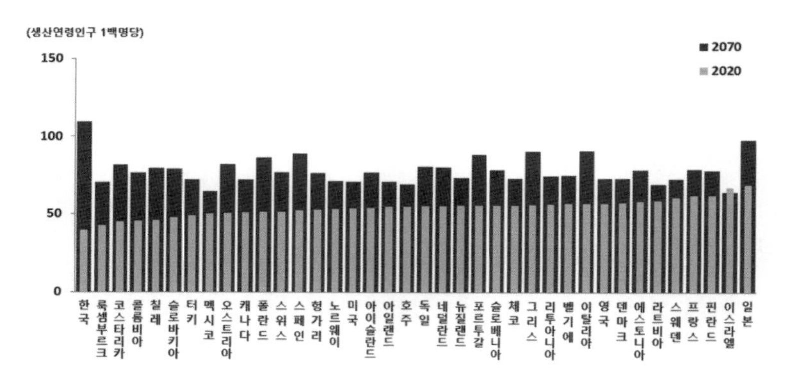

출처 : UN(2019), 〈World Population Prospects: The 2019 Revision〉
통계청(2021), 〈장래인구추계: 2020-2070년〉

2. 고령사회로의 변화와 영향

(1) 인구 고령화에 따른 건강·돌봄 비용의 증가

OECD 국가들의 고령화 추이 분석에 의하면 우리나라는 고령화의

진전이 매우 빠른 국가로서 2050년에는 OECD 국가 중 65세 이상 인구 비중 1위, 80세 이상 인구 비중 2위가 될 전망이다. 다음 그림과 같이 80세 이상 인구의 비중 증가는 2035년 이후 더욱 가속화되어 인구 구조가 빠르게 변화될 것으로 예상된다.

연령계층별 인구 구조, 1960~2070년(중위)

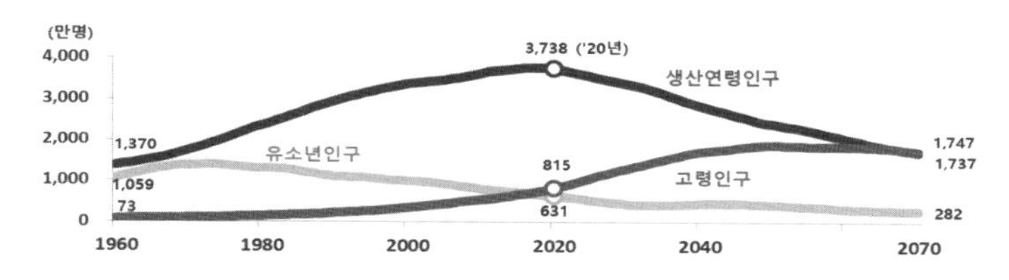

연령계층별 인구 구성비, 1960~2070년(중위)

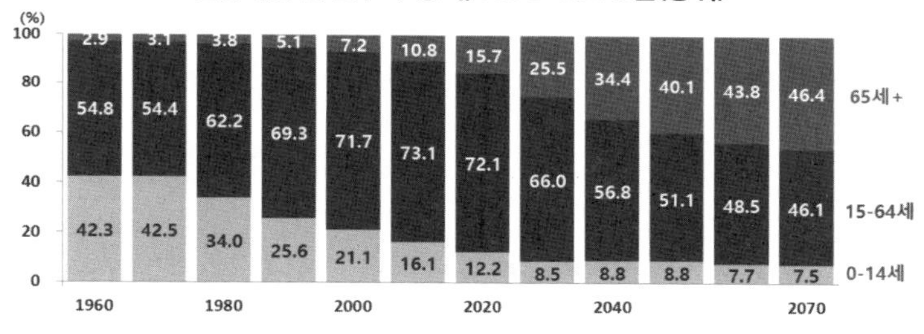

출처 : 통계청, 장래인구추계: 2020-2070년, 2021.

또한 통계청 자료에 따르면 인구 고령화에 따른 우리나라의 생산가능인구(15~64세)는 2019년 72.7%에서 2030년에는 65.4%로 감소하고, 2050년에는 전체 인구의 절반 수준인 51.2에 그칠 것으로 전망된다.

특히 인구 고령화에 따라 국가 차원에서 가장 큰 부담 요인으로 작용하는 것은 의료 비용의 증가와 고령자 돌봄 비용의 증가가 지적되고 있다. 미국과 일본의 경우 인구 고령화가 초래하는 가장 중요한 국가적 어려움을 고령화로 인한 건강 비용의 증가로 보고, 건강 수명의 연장을 위한 다양한 정책을 추진하고 있다. 국민건강보험에 따르면 우리나라의 65세 이상 고령자의 의료 비용 지출은 2019년 35조 8천억 원(전체 41.4%)에서 2022년에 44조 1천억 원(전체 43.1%)으로 나타났고, 2030년에 91조 3천억 원으로 연평균 10% 가까운 증가율을 보일 것으로 예측하고 있다.

65세 이상 노인 의료비 지출 및 전망

구분		2016년	2019년	2020년	2021년	2022년	전년대비 증감률(%)
적용인구 (천 명)	전 체	50,763	51,391	51,345	51,412	51,410	-0.004
	65세이상 비율(%)	6,445 (12.7)	7,463 (14.5)	7,904 (15.4)	8,320 (16.2)	8,751 (17.0)	5.2
진료비 (억 원)	전 체	645,768	864,775	869,545	935,011	1,024,277	9.5
	65세이상 비율(%)	250,187 (38.7)	358,247 (41.4)	374,737 (43.1)	406,129 (43.4)	441,187 (43.1)	8.6
1인당 월평균 진료비(원)	전 체	106,286	140,663	141,086	151,613	166,073	9.5
	65세이상	328,599	409,536	404,331	415,887	429,585	3.3

출처: 국민건강보험, 건강보험 주요 통계, 2022.

아울러 고령자의 증가로 인해 돌봄에 대한 수요는 지속적으로 증가할 것으로 예상되며, 특히 유병 고령자의 수가 증가할 경우 돌봄 인력에 대한 수요 증가 및 비용 부담 증가가 예상되고 있다.

우리나라는 장기 돌봄 비용의 증가율(2005~2015)은 32.1%로 매우 높으며 다른 OECD 국가의 증가 추이와 차별적인 높은 증가세를 보임으로써 향후 돌봄 비용의 증가에 대응이 필요함을 알 수 있다(OECD, 2017).

이처럼 돌봄 수요가 급속하게 증가하고 있지만 돌봄이 필요한 인력에 비해 돌봄 서비스를 제공하는 인력의 수가 매우 부족한 상황인데, 우리나라의 고령 인구 100명당 돌봄 인력 수는 2016년 기준 가장 높은 노르웨이의 12.7명에 비해 3.5명에 불과하며, OECD 국가 평균(4.9명)보다도 낮은 실정이다(OECD, 2019).

(2) 베이비붐 세대의 고령층 진입과 시장 성장

베이비붐 세대의 은퇴와 고령층으로의 진입에 따라 향후 고령층의 수요에서 베이비붐 세대들의 영향이 매우 중요해질 것으로 전망된다.

미국, 유럽, 일본 국가들은 제2차 세계대전 이후 출산율이 급속히 증가한 시기(1946년 이후)의 출생 세대로 우리나라의 베이비붐 세대보다 먼저 고령층에 진입함으로써 다음에서 보는 바와 같이 고령 인구에서 약 30% 이상의 비중을 차지하고 있다. 베이비붐 세대의 고령화는 고령자 중심의 시장을 새롭게 형성하고 있고 주요 수요층으로 부상되고 있다.

주요국의 베이비붐 세대 현황

구분	출생 시기	베이비붐 세대 중 은퇴 연령 비중(%)	고령 인구 중 베이비붐 세대 비중(%)
미국	1946~1964	44.3	33.6
일본	1947~1949	100	28.6
프랑스	1946~1967	37.7	30.8
이탈리아	1946~1967	34.4	26.8
스웨덴	1946~1953	100	30.8

출처: 강태헌(2016)

일본의 경우에는 일상생활, 의류, 주거, 의료, 여행 등 다양한 분야에서 고령자의 수요를 반영한 제품 및 서비스가 활성화되고 있다. 일본의 고령친화산업 시장은 정부 지원 급여 품목 외에도 고령자의 신체 기능 저하 및 특성을 반영한 식품, 화장품, 의복, 신발 등이 고령자가 소비하는 주요 품목으로 형성되었으며, 고부가가치 제품 개발도 활발해지고 있다.

특히 일본의 고령자 의류 및 생활용품 시장은 사용자의 건강 상태나 연령과 상관없이 모든 사람들이 범용적으로 사용할 수 있도록 설계된 '유니버설 디자인'이 확대되었으며, 신체 기능이나 반응 능력이 저하된 고령자들이 편리하게 사용할 수 있도록 편의성을 높인 제품이 다양하게 개발되고 시장에 확산되었다.

미국의 베이비붐 세대는 의약 및 건강 관리 산업 등의 주요 수요층으로 부상되었고, 고령층의 소비는 전체의 30%를 차지하고 있으며, 바이오 기술이 적용된 의료 제품이나 서비스, 재생의학 등 의료, 건강 관리와 관련된 첨단 제품 및 서비스에 대한 수요가 매우 높다.

중국의 2018년 고령친화산업 규모는 5조 9천억 위안이며 2024년까지 연평균 13.1%의 빠른 성장을 통해 2024년 시장 규모는 14조 위안(한화 약 2,400조 원)에 달할 것으로 예상된다(KOTRA, 2018). 품목별로는 고령친화식품, 의류, 생활용품, 가전 등 일상생활을 지원하는 제품의 시장 성장이 두드러졌다.

또한 ICT 기술을 접목한 고령자의 일상생활 지원 및 건강 관리 분야도 성장하고 있는데, 노인용 스마트홈 시설, 스마트 웨어러블기기, 원격의료 등의 성장도 기대되고 있다. 이처럼 중국의 베이비붐 세대는 ICT 기술과 새로운 기기 사용에 능숙하고 온라인 쇼핑과 수입 제품 구매가 활발한 세대로서 소득 수준이 높은 고령층이 증가함으로써 생활용품 외에도 문화, 여가, 오락 등 다양한 분야에 걸쳐 소비를 주도할 것으로 예상되고 있다.

우리나라의 베이비붐 세대는 인구 구성비가 지속적으로 증가한 연령집단으로 전체 소비 구조를 주도하고 있으며, 은퇴 후에도 개인 소득과 연금 및 공적보험 등의 소득을 합산했을 때 구매력 수준이 이전 고령층보다 전반적으로 훨씬 높아졌다.

소비 측면에서는 의료 및 건강에 대한 관심이 높게 형성되었으며, 건강검진 및 식생활 개선 등을 통해 자가 건강 관리 수행 비율도 높아졌다. 또한 기존의 고령층과는 달리 ICT 기술에 익숙한 베이비붐 세대는 온라인 쇼핑몰인 옥션에서뿐만 아니라 여가 및 관광산업 분야에서도 60대의 비중은 전년 대비 증가율이 14.4%와 8.13%로 가장 높게 나타나기도 하였다.

3. 고령친화산업 현황과 관련 정책

(1) 고령친화산업 범위 및 시장 동향

고령친화산업은 노인이 사용하는 용품 및 의료기기, 노인이 거주하는 주택, 노인 요양 서비스 등 노인을 주요 소비자로 하는 제품과 서비스를 포괄하는 산업으로, 구체적인 고령친화산업의 범위는 고령친화산업진흥법 제2조에 의거하여 정의되고 있다.

고령친화산업진흥법[법률 제18410호]
제2조 (정의) 이 법에서 사용하는 용어의 정의는 다음과 같다. 1. "고령친화제품등"이라 함은 노인을 주요 수요자로 하는 제품 또는 서비스로서 다음 각 목의 어느 하나에 해당하는 것을 말한다. 가. 노인이 주로 사용하거나 착용하는 용구·용품 또는 의료기기 나. 노인이 주로 거주 또는 이용하는 주택 그 밖의 시설

다. 노인요양 서비스
라. 노인을 위한 금융·자산관리 서비스
마. 노인을 위한 정보기기 및 서비스
바. 노인을 위한 여가·관광·문화 또는 건강지원서비스
사. 노인에게 적합한 농업용품 또는 영농지원서비스
아. 그 밖에 노인을 대상으로 개발되는 제품 또는 서비스로서 대통령령이 정하는 것
2. "고령친화산업"이라 함은 고령친화제품등을 연구·개발·제조·건축·제공·유통 또는 판매하는 업을 말한다.

고령친화산업 진흥법 시행령[대통령령 제33434호]

제2조(정의) ① 「고령친화산업 진흥법」 제2조제1호아목에서 "대통령령이 정하는 것"이란 다음 각 호의 어느 하나에 해당하는 것을 말한다.
1. 노인을 위한 의약품 · 화장품
2. 노인의 이동에 적합한 교통수단·교통시설 및 그 서비스
3. 노인을 위한 식품 및 급식 서비스
4. 그 밖에 노인을 대상으로 개발되는 제품 또는 서비스로서 보건복지부장관이 정하여 고시하는 제품 또는 서비스
② 법 제2조제4호에서 "대통령령으로 정하는 중앙행정기관"이란 해양수산부를 말한다.<신설 2021. 3. 9.>

저출산·고령사회위원회는 고령친화산업의 범위를 보다 구체화하기 위해 다음과 같이 고령친화산업의 전략 품목을 선정하였고 1차 전략품목은 8대 산업에 걸쳐 15개 분야로 선정되었으며, 2차 전략품목은 중복 범위 등을 재조장하여 6대 산업 분야의 15개 품목으로 구성되었다.

고령친화산업 전략품목

구분		34개 전략품목
1차 : 8대 산업 (19개 품목)	요양	- 재가요양서비스
	기기	- 재택/원격진단/진료 및 휴대형 다기능 건강정보시스템, 한방의료기기, 간호지원 및 실내외 이동지원시스템
	정보	- 홈케어, 정보통신보조기기, 노인용 콘텐츠 개발
	여가	- 고령친화휴양단지
	금융	- 역모기지연금, 자산관리서비스
	주택	- 고령자용주택개조, 실비고령자용 임대주택
	한방	- 한방보건관광, 항노화 한방기능성식품, 노인용 한방화장품, 노인성질환한약제제개발
	농업	- 고령친화귀농교육, 전원형 고령친화농업테마타운, 은퇴농장
2차 : 6대 산업 (15개 품목)	교통	- 저상 버스, 고령자 감응 첨단신호기, 형광 표지판
	식품	- 특수의료용도식품, 건강기능식품
	의약품	- 신경계용약, 순환계용약, 대사성 의약품
	장묘	- 화장 및 납골용품, 웰엔딩 준비 및 체험교실, 개장 및 이장서비스
	의류	- 건강보조 스마트웨어, 건강개선용 레저스포츠웨어, 체형보정용 이너웨어
	교육	- 일자리 교육 및 훈련

출처: 대통령자문 고령화 및 미래사회위원회·보건복지부(2006) 자료 활용

고령친화산업의 시장 규모를 파악하기 위해 한국보건산업진흥원(2011, 2015)에서 수행한 고령친화산업의 현황 실태조사 결과, 고령친화산업의 시장 규모가 2012년 기준으로 27조 3천억 원이며, 2020년까지 연평균 13%의 높은 성장률을 보임으로써 2020년 시장 규모가 약 73조 원에 달할 것으로 예상하였다.

또한 세부 산업별 시장 규모를 살펴보면 다음과 같이 시장 규모가 가장 큰 산업군은 고령친화여가산업으로 전체의 33.98%를 차지하였으며 다음으로는 고령친화산업의 비중이 전체의 23.36%인 것으로 조사되었다.

고령친화산업 시장 규모 및 전망

구 분	2012	2018	2020	CAGR(2012~2020)
요양	29,349	73,778	100,316	16.61
의약품	37,791	77,190	97,937	12.6
의료기기	12,438	25,550	32,479	12.8
화장품	6,945	16,316	21,690	15.3
식품	64,016	136,880	176,343	13.5
여가	93,034	202,441	262,331	13.8
주거	13,546	14,257	14,301	0.68
용품	16,869	20,957	22,907	4.0
전체	**237,809**	**567,369**	**728,305**	**13.0**

출처: 한국보건산업진흥원(2015) 자료 활용

위의 실태조사 결과에 의하면 성장률 측면에서 가장 큰 변화를 보이는 것은 고령친화요양산업으로서 2012년 전체의 10.72% 비중을 차지하던 것에서 2020년에는 전체의 13.77%까지 성장할 것으로 전망하였다.

또한 의료기기산업은 치과용 임플란트, 성형용 필러 등 건강과 젊음을 유지하기 위한 수요 확대에 힘입어 2010~2018년 기간 동안 연평균 10.3%의 빠른 성장세를 보이고 있다. 특히 인구 고령화로 건강 관리 기구, 건강 관리 식품, 노화 방지 화장품 등 다양한 분야에서 수요가 증대되고 있다.

(2) 주요국의 고령친화산업 정책

1) 미국

미국은 의료 및 건강 관리 분야의 수요 확대에 대비하여 국가 차원에서 건강 및 의료 분야의 첨단 기술 개발 및 상업화의 지원을 통해 산업 성장을 이끌어 내고 있으며 국립노화연구소(NIA)와 국립장애재활연구소(NIDDA)에서는 노화 현상에 대한 연구를 지속적으로 지원하고 있다. 그 외에 요양 및 돌봄 산업 분야에서도 정부 지원뿐만 아니라 민간 영역에서 다양한 돌봄 서비스가 확대되고 있다.

2) 일본

일본의 고령친화산업은 후생노동성의 분류에 따라 다음과 같이 다양한 영역으로 구분하고 있다.

일본의 고령친화산업 분류

구 분	전략 품목
개호서비스	- 재택개호서비스, 입욕서비스, 급식서비스, 개호노인대상서비스
복지기기	- 안전, 안심기기, 생활용품, 건강기기, Barrier free 기기
금융	- 노령기 대비 연금, 보험, 신탁, 재산관리서비스 등
의료	- 의료서비스, 의료기기 등 노인건강과 관련된 시설, 용품 및 서비스 분야
레저	- 고령자 대상 전문 웹사이트 운영, 암검진 여행상품, 고령자 오토캠핑, 고령자 스포츠 비즈니스, 고령자용 게임개발 등
주거	- 유료노인 요양원 분양, 고령자용 IT주택 개발, 고령자 주택을 대상으로 하는 안전통보서비스, 휴양지에 퇴직자 커뮤니티 개발
한방	- 고령자용 급식 개발, 당뇨병 식단 강화, 체지방 감소 식품 등 혈당 혈압 억제 건강식품, 고가의 치료식 택배사업 등

출처: 차의과대학교(2017) 자료 활용

일본 후생성은 고령친화산업의 육성을 위해 1992년 지자체별로 개호 실습보급센터를 설립해 고령자 대상 의료기기 및 고령친화용품의 사용자 체험 기회를 확대했다. 또한 연구개발 측면에서는 '일본의료연구개발기구(Japan Agency for Medical Research and Development)'를 중심으로 다수 부처의 연구개발 예산을 통합·관리하고 고령친화산업 분야 연구의 기초연구에서 상업화까지 전 과정을 통합적으로 지원하고 있다.

3) 중국

중국은 2011년 〈고령사업 발전을 위한 제12차 5개년 계획(2011~2015)〉으로 고령산업 정책을 시행하였고, 양로 서비스, 위생보건, 일상생활용품 등의 산업 분야에 대한 지원 규정을 마련하였다. 또한 고령친화산업 지원 정책은 민간 자본의 투자 촉진, 고령산업 조직의 고도화, 고령산업 시장 질서의 규범화, 기타 분야로 구성되어 있으며, 고령친화산업 관련 인력의 양성과 취업 장려, 기술 정책 등 산업 발전 촉진을 위한 정책들로 구성되어 있다.

4. 고령화를 극복하는 힘: 일본의 사례 활용

고령사회로의 진입이 필연적인 사실이라면 우리는 이에 어떻게 대비해야 하는가? 우리보다 앞서 고령사회로 진입한 선진국들의 경험을 통해 해답의 실마리를 발견할 필요가 있다. 선진국들의 고령사회에 대한 대응은 다음과 같이 요약할 수 있다. (참고: 한림대 고령사회연구소)

첫째, 노인의 경제 활동 촉진을 위한 전략으로 크게 두 가지 방향으로 진행된다. ① 노후의 경제적 보장을 약화시킴으로써 노인들로 하여금 더 오래 일을 하도록 만든다. 주로 근로의욕을 증진시킬 수 있도록 사회복지제도를 개선하는 활동들로 구성된다. 예를 들면, 연금급여 개시연령 연장, 연금보험료 최소납입기간 연장, 연금급여 삭감, 조기퇴직 연금의 축소, 장애연금을 활용해 노령연금 수급 억제, 추가 연금납입 기간에 대한 연금기대율 확대 등이 있다. ② 노인들이 오래 일할 수 있도록 일자리의 환경을 조성함으로써 은퇴 시기를 연기하도록 유도한다.

예를 들면, 경제 활동 촉진을 위해 정년퇴직과 같은 제도적 장애물을 제거, 노인에 대한 구직 및 교육 훈련 프로그램 강화, 노인 대상 근로 시간 및 임금제도 조정으로 파트타임, 유연 근무 시간 적용과 임금피크제 도입으로 기업 부담 경감을 추진하고 있다.

둘째, 사회복지 비용 절감을 위한 대책으로 주로 의료비 관련 비용 상승 억제 방안을 모색한다. 가급적 가정 내 서비스를 받거나 병원보다는 요양시설을 활용하게 하여 고가의 의료 서비스 이용을 자제시키고, 본인 부담금 등 의료 비용을 증가시켜 의료시설 이용을 줄이도록 하는 것이다.

(1) 고령화를 극복하는 신기술 적용

고령화는 인류 역사의 또 다른 도전으로 볼 수 있다. 이런 관점에서 4차 산업혁명 시대를 맞이하여 노인도 더 편리한 생활을 할 수 있도록 사물인터넷(IoT) 등 스마트 기술과 자동화로 생산성을 향상시켜 생산가능인구의 감소에 대처하고, 의료 기술의 발전은 생명 연장에 그치지 않고 건강 수명 연장에 기여하고 돌봄 비용을 낮춰 사회적 비용을 줄일 것이다.

최근에는 노인을 대상으로 하는 새로운 산업 영역도 획기적으로 발전하여 대표적으로 의료와 디지털 기술의 결합이 이뤄지고 있다. 당뇨나 고혈압과 같은 노인성 만성 질환에 대한 자가진단과 관리가 가능한 다양한 디지털 헬스케어 기기들이나 노인 돌봄로봇, 노인의 근력 보완 전기 근육 수트 등이 개발되고 있다. 또한 유통체계를 변화시켜 집 근처에서 소량의 신선식품을 구입, 간병 전문가가 동행하는 노인 맞춤형 투어 패키지 등이 노인 맞춤형 상품으로 속속 개발되고 있다.

1) 노인 돌봄 일본 기업의 로봇 제품

	**<도요타(Toyota)가 3세대 휴머노이드 로봇 'T-HR3'>** 이 로봇은 지난 1, 2세대 로봇과 같이 위치 제어의 정밀성을 추구하는 등 일상생활에서의 활용성에 초점을 맞추어 가정과 의료기관 등 다양한 분야에서 사람과 조화를 이룬다.
	**<도요타의 소형 배송로봇>** '마이크로 팔레트'는 자율주행차인 'e-팔레크' 안에 들어 있고 배송 목적지에 도착하면 마이크로 팔레트가 물건을 전달해 주는 방식임
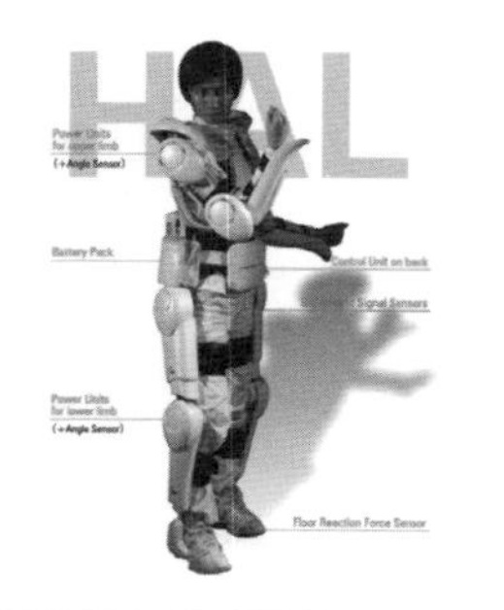	**<사이버다인의 입는 로봇>** 아이언맨을 연상시키는 입는 로봇 'HAL(Hybrid Assistive Limb)'이 등장함. 터미네이터에서 착안한 것이 분명해 보이는 '사이버다인' 이라는 이름의 기업이 공개한 것으로, 회사에 따르면 착용자의 움직임과 힘을 최대 10배까지 늘려줌

2) 진화된 간병기술인 배설케어 제품

<table>
<tr>
<td>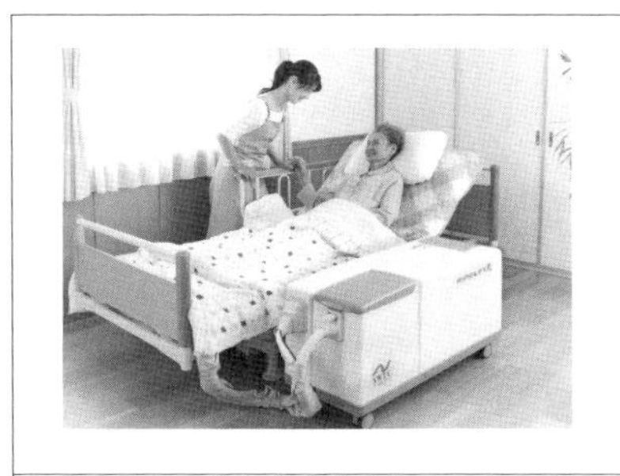</td>
<td><일본의 간병 용구업체가 개발한 자동배설 처리장치>
이 제품은 피간병인이 배뇨나 배변을 하면 플라스틱 기저귀가 감지, 기저귀와 연결된 자동배설장치가 배설물을 흡입하고 온수로 세정해 주고 바람 건조 및 악취를 제거해 주는 시스템임</td>
</tr>
<tr>
<td>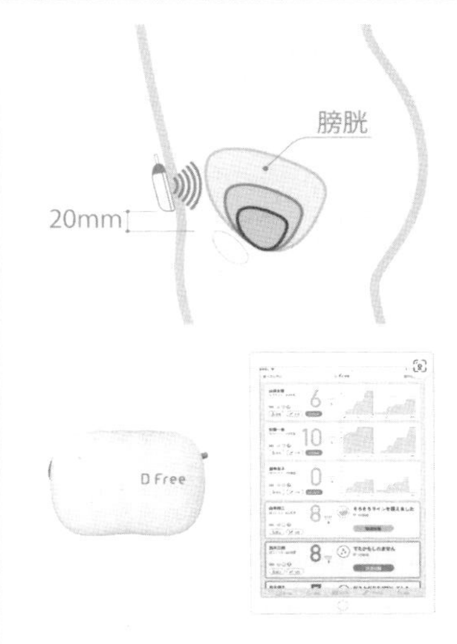
</td>
<td><일본 벤처기업(트리플 더블유 재팬)의 배설 케어 관련 첨단 디바이스 ‘디 프리(D Free)’>
현재 일본의 요양시설에서 실제로 활용되고 있는데, 요양시설 이용자(자립적 배뇨가 어려운 입주자)는 방광 하복부(치골 2cm 상부)에 초음파센서를 부착함
40~50그램 무게의 초음파 센서는 음파 반동을 분석해 방광 내 소변량을 계측하고 그 결과를 본체(벨트에 고정)에 전송, 전송된 데이터는 블루투스 등 클라우드 통신을 활용해 태블릿이나 스마트폰에서 확인할 수 있음</td>
</tr>
</table>

(2) 일본이라는 ‘괜찮은’ 참고서 활용

일본의 고령화율은 현재 2022년 기준으로 29.1%에 달하고 있고 75세 이상 초고령자도 2,000만 명이 넘었다. 세계 최고령국인 일본이 어떻게 이 문제들을 해결해 나가고 있는지 매우 궁금하다. 《초고령 사회 일본이 사는 법》의 내용을 인용하면 초고령사회 일본은 크게 두 가지의 현상으로 나타나고 있다. 첫째는 새로운 문화의 출현으로 노인들만의 문화가 아닌 전 세대가 한데 어우러지는 사회 분위기가 생겨나고 있고, 둘째는 고령화 정책과 기술이 좀 더 정교해지고 고령 친화적으로 진화하고 있다는 점이다.

① 치매 고령자와 가족, 지역 주민들이 한데 모여 교류하는 치매카페(스타벅스 치매카페)가 지역 곳곳에서 운영되고 있다.

② 버스 노선이 폐지되면서 발이 묶인 고령자를 위해 상점가 주인들이 힘을 합쳐서 버스와 택시 중간 형태인 AI 택시를 운영하고 있다.

③ 대형 마트에는 고령자들이 초조해하지 않도록 슬로 계산대를 설치하고 고령자와 짝꿍이 되어 휴대폰 조작이나 IT기기 사용법을 가르쳐 주고 말동무도 돼주는 젊은 대학생들이 있다.

④ 1999년 백화점업계가 만든 '손자의 날'이라는 기념일(10월 셋째 주 일요일)이 있는데, 명분은 조부모와 손자의 관계를 돈독히 하는 것이지만 경제력이 있는 조부모의 지갑을 열겠다는 상업적 의도가 깔려있다.

⑤ 일본 편의점은 고령자의 인프라로 정착되어 편의점이 시니어 고객을 잡기 위한 격전지가 되고 있을 정도이다.

⑥ 피트니스와 의료가 결합한 메디컬 피트니스는 예전에 없던 새로운 건강수명 비즈니스가 되고 있다.

⑦ 성인 기저귀 쓰레기를 땔감으로 재 자원화하는 중소기업은 해당 기술을 중국 등 해외로 수출하는 성과를 나타내고 있다.

⑧ 집청소, 장보기, 요리대행, 정리정돈, 묘지청소 등 일상과 밀접한 모든 가사 일을 대신해 주고 있으며, 산보 같이하기, 말상대 해주기 등 심적 도우미 역할까지 가사 대행 서비스의 영역이 크게 확대되고 있다. 특히 요즘에 인기 급상승 중인 서비스가 요리 대행 서비스이다.

위의 주요 사례와 같이 초고령사회에 먼저 진입한 일본에서는 기존에 없던 새로운 비즈니스가 만들어지고 있는 것이다.

5. 미래 고령친화산업 활성화 방안

1991년 「고령자고용촉진법」 제정 이후에 2005년 「저출산고령사회기본법」, 2006년 「고령친화산업진흥법」의 제정으로 고령화에 따른 사회·경제적 변화에 적극적으로 대응하고, 노인의 삶의 질 향상과 국민경제의 건전한 발전을 위한 고령친화산업 지원 및 육성의 근거가 마련된 바 있다.

이에 따라 정부(보건복지부 등)에서는 2008년 고령친화산업지원센터를 지정하여 고령친화산업의 핵심 영역인 노인보건의료, 요양, 복지 분야를 중심으로 고령친화 우수제품(사업자) 지정제도를 운영하고 있다. 고령친화산업 홍보 및 정보 교류 활성화, 고령친화산업 육성기반 강화 등 다양한 지원을 통해 고령친화산업 육성 정책의 지속적인 추진이 필요하다.

특히 고령자에게는 퇴직 및 노동력 상실, 기회의 부족 등으로 소득이 줄어들거나 상실하게 되므로 노인의 소득보장은 노인기에 빈곤에 처하는 것을 방지하고 삶의 질을 보존하기 위해 최소한의 소득을 확보해 주는 것이 필요하다. 즉 연금제도, 국민기초생활보장제도, 기초노령연금제도, 건강보험, 의료급여 등과 경로우대, 세금감면제도 등이 필요하다.

특히 노인의 건강 증진과 관리를 위한 복지제도로 노인건강지원사업의 운영을 실시하여 ① 질병의 조기 발견 및 치료를 위한 노인건강검진사업, ② 노인의 치매 예방과 관리를 위한 치매조기검진사업, ③ 노인 암 검진 및 개안수술사업 등의 지원이 이루어지고 있으며, 이 외에도 결식우려노인 무료급식사업, 노인건강증진 허브보건소 등의 운영도 이루어지고 있으나 지금보다 더 강화된 시스템적인 운영정책의 추진이 필요하겠다.

그리고 노인들의 인간다운 삶의 질을 보장하기 위해서는 노인에게 적합한 주거공간 확보로 주거권을 보장해 주는 노인용 스마트홈 시설과 같은 지속적인 노인 주거보장 정책 추진과 고령자 고용 촉진을 위한 프로그램 및 고용 알선 프로그램의 운영 강화로 노인 취업을 활성화시킬 수 있는 실효성 있는 정책 추진이 필요하다. 또한 사회적 부양 부담 감소를 위해 실시 중인 노인일자리사업은 시대의 트렌드에 맞는 추가적인 프로그램 개발과 질 좋은 일자리 증대를 위한 노력이 필요하다고 본다.

마지막으로, 선진국들의 경험이 모두 우리나라에 도입되어 효과를 볼 수 있는 것은 아닐 수 있으므로 우리나라의 현실에 적합하지 않을 가능성도 있다. 한 예로 자녀의 지원을 당연하게 여기는 우리나라에서는 노인 수발을 전적으로 사회의 책임으로만 돌리는 것은 노인의 삶의 질에 부정적인 영향을 줄 수 있다. 따라서 우리나라 노인의 특성을 반영한 정책을 개발하고 실천하는 것이 무엇보다 중요하다고 할 것이다.

참고문헌

- 박소영 외, 《고령친화 사회의 이해》, 도서출판 진영사, 2016.
- 김웅철, 《초고령사회 일본이 사는 법》, 매경출판(주), 2024.
- 김웅철, 《초고령사회 일본에서 길을 찾다》, 페이퍼로드, 2017.
- 백선혜, 안현찬 외, 《고령친화 지역사회 만들기 노인을 위한 동네》, 서울연구원, 2019.
- 문혜선, 《정책자료 2019-361 고령사회 수요변화에 대응하는 고령친화산업 발전 과제와 시사점》, 산업연구원, 2019.
- 한림대학교 고령사회연구소, 《고령사회의 이해》, 도서출판 소화, 2017.
- 고려대학교 고령사회연구센터, 《2022 대한민국이 열광할 시니어 트렌드》, 비즈니스북스, 2021.
- 차의과대학교(2017), 〈고령친화산업 R&D중장기로드맵 수립 연구보고서〉.
- 대통령자문 고령화 및 미래사회위원회·보건복지부(2006), 〈고령친화산업 활성화 전략〉.
- 국민건강보험(2022), 〈2022 건강보험 주요 통계〉.
- 한국보건산업진흥원(2015), 〈고령친화산업 실태조사 및 산업분석〉.
- 강태현, 〈주요 선진국 베이비붐 세대의 은퇴 및 고령화에 따른 영향과 시사점〉, 국제경제리뷰, 2016.
- 통계청(2021) 보도자료, 〈장래인구추계 2020~2070〉.
- UN(2019), 〈World Population Prospects: The 2019 Revision〉.
- OECD(2017), 〈Health at a glance 2017〉.
- OECD(2019), 〈OECD Health Statistics〉.
- 매경프리미엄 웹사이트(https://www.mk.co.kr/premium/life/view/2018/01/21243)
- 월간로봇기술 뉴스 웹사이트(http://robotzine.co.kr/entry/230983)
- 디프리 웹사이트(https://dfree.biz)

저자소개

신현명 SHIN HYUN MYUNG

학력

· 명지대학교 대학원 사회복지학과 박사 수료(사회복지 전공)

· 명지대학교 대학원 전자공학과 공학석사(AI·영상신호처리 전공)

· 서울사회복지대학원대학교 사회복지학석사(사회복지 전공)

경력

· 주식회사 키삭 수석컨설턴트

· 서울사회복지대학원대학교 평생교육원 교수

· 수성대학교 AI빅데이터과 외래교수

· 가천대학교 전자통신과 외래교수

· 브이케이(주) 정보통신연구소 책임연구원

· 세원텔레콤(주) 기업부설연구소 선임연구원

· 퍼스텍(주) 기업부설연구소 주임연구원

· 개인정보보호위원회(PIPC) 개인정보보호 교육 전문강사

· 한국에니어그램연구소 한국형에니어그램 강사

자격

· 사회복지사(보건복지부)

· 평생교육사(교육부)

· 다문화사회 전문가(법무부)

· 요양보호사(서울특별시)

· 데이터거래사(과학기술정보통신부)

· 정보시스템 감리원(행정안전부)

· 국가기술자격 정보처리기사(한국산업인력공단)

· 국가자격 제한무선통신사(한국방송통신전파진흥원)

· 국제공인 정보시스템보안전문가(CISSP)

· 국제공인 정보시스템감사사(CISA)

· 국제공인 프로젝트관리전문가(PMP)

· 국제공인 소프트웨어 테스트전문가(CTFL) (ISTQB/KSTQB)

· 국제공인 ISO9001/27001 인증심사원(RAB/QSA)

· 국가공인 프로젝트관리전문가(IT-PMP)

· 국가공인 산업보안관리사(ISE) (한국산업기술보호협회)

· 국가공인 RFID-GL(한국RFID/USN융합협회)

· 정보보호 및 개인정보보호 관리체계(ISMS-P) 인증심사원(KISA)

· 개인정보영향평가(PIA) 전문인력 인증서(KISA)

· ITIL Foundation Certification(ITSM) (EXIN)

· Cloud Computing Foundation(CLOUDF) (EXIN)

· 인터넷윤리자격(IEQ) (한국생산성본부)

· 개인정보관리사(CPPG) (한국CPO포럼)

· IoT 직식능력검정 인증서(한국사물인터넷협회)

· 인지행동심리상담사 1급(한국심리교육협회)

· 에니어그램분석사 1급(한국심리교육협회)

· 노인두뇌훈련지도사 1급(한국평생교육진흥원)

· 실버인지놀이지도자 2급 (한국치매예방운동본부)

저서

·《RFID관리사》, 시대고시기획, 2010.

·《안전기술과 미래경영》, 브레인플랫폼, 2021.

·《모빌리티 혁명》 브레인플랫폼, 2023.

·《미래 유망 일자리 전망》, 브레인플랫폼, 2023.

제7장

인구 고령화 시대, 산업의 변화

이한규

1. 공로사원 추천 회의

- 이번 안건은, 금년 근로자 행사의 일환으로 회원 기업들의 공로사원 표창 기준을 정하는 안건입니다. 의견을 개진해 주세요. 땅! 땅! 땅!
- 10년 정도 재직한 사원들을 대상으로 하면 어떨까요?
- 글쎄요. 5년 정도로 해야 하지 않을까요?
- 3년 재직자도 찾기 어려운데, 조금 더 낮추면 어떨까요?

작년 가을, 지자체의 지원을 받은 연례행사에서 근로자 행사를 준비하는 중소기업협회 회의에 자문위원으로 참석했다가 목격한 광경이다.

- 그럼 1년 이상 재직한 사원 중에서 공로사원을 추천하여, 협회 기준에 맞게 심사하여 정하도록 하겠습니다. 수고 많으셨습니다. 땅! 땅! 땅!

인터넷을 통해 확인한 중소·중견기업 평균 근속연수가 2.4년으로 조사된 지 벌써 10년이 흘렀다. (도표 참조)

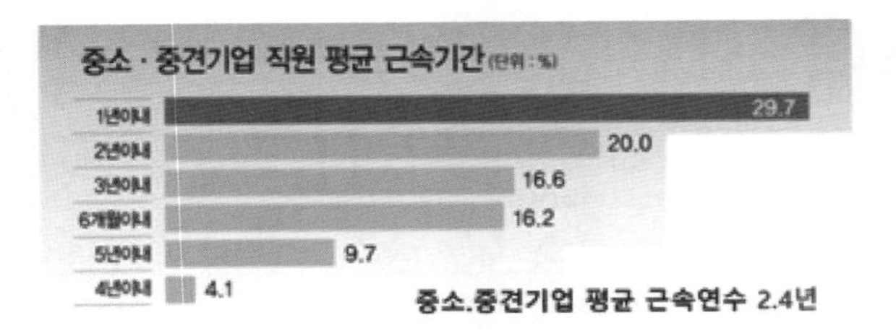

출처: 중소기업뉴스, 중소·중견기업 평균 근속기간, 2015.04.07.

회의에 참석한 중소기업 대표들의 얼굴에서 착잡한 마음이 느껴졌다.

2. 인구 고령화 시대, 은퇴자들의 관심

- 몇 살이냐?
- 응? 대통령 나이? 아니면 한국 나이?
- 기왕이면 한 살이라도 젊은 나이로 말해봐.
- 쓸데없는 소리 말고 축구에 집중해.

나이별 축구팀은 축구장 안에서 뛰는 것보다 축구장 밖에서의 광경이 더욱 다채롭다. 전원이 60을 넘긴 OB팀이니, 축구장 안에서의 안타까움을 밖에서도 실감나게 공감하며 하나가 되는 것이다.

- 쟤, 왜 저래?
- 작년 가을만 해도 펄펄 날더구만, 겨울에 운동 안 했나?
- 야, 너도 똑같아. 나이 앞에 별수 있어?

40대, 50대 팀에서 함께 동고동락했던 동료들이 60대 OB팀에 모여 축구를 계속하는 셈이니, 누가 공을 잡으면 다음 공이 어디로 갈 것인지 밖에서 먼저 알고 소리치는 경우가 많고, 신기하게도 거의 맞아 떨어지는 수준이다.

- 그럼, 그렇지~~~

- 어이쿠~~~

동네별로, 동호회별로 옹기종기 모여 웃고 떠들고 뛰어다닐 여력이 충분히 남아있는 60대 시니어들이 전국 도처에 수도 없이 모여있다.

그래도 은퇴 전에는 제조 한국의 최선봉에 서서 밤낮없이 땀 흘리며 대한민국을 세계 일류로 견인했던 산업의 역군들 아니었던가?

선뜻 말을 끄집어내기는 망설이지만, 말문이 트여 대화가 진행되면, 거의 십중팔구 '추가적 경제 활동 수단'에 주제가 귀결된다.

안 듣는 척하다가도 솔깃해서 고개를 돌리고, 작은 정보라도 놓치지 않으려고 귀를 쫑긋하거나 심지어 자리를 옮기는 등의 적극적 반응도 심심찮게 나타난다.

대부분 기본적 은퇴 준비는 되어있지만, 약간의 여유를 더 얻기 위해 추가 소득을 원하는 것이다.

온종일 매달리는 것보다는 간헐적 또는 파트타임이라도 정기적 기회가 있다면 해볼 수 있다는 관심을 나타낸다.

2024년 최저임금 기반(시간당 9,860원, 주 40시간 기준 월급 206만 원)의 절반에 해당하는 1백만 원에 관심이 많고, 아직 은퇴하지 않은 필자 또한 추가 소득 1백만 원에 진심인 편이다.

축구장뿐 아니라, 새벽마다 줌으로 만나는 각계각층의 리더들도, 제법 엘리트 집단이라 할 수 있는 오프라인 모임에서도 솔직한 대화가 오갈 수 있는 등반 모임 같은 자연스러운 환경이 조성되면 어김없이 '추가소득 1백만 원'에 대한 화제를 허투루 흘려 듣는 사람을 본 적이 없을 정도다.

3. 동상이몽(同床異夢) 1 – 제발 로봇이라도

- 어? 직원들 휴가 갔어요? 장비들이 멈춰 있네요?

- 코로나 때 외국인 근로자들 귀국하고 나서, 있는 장비 반도 못 돌리다가, 코로나 풀리고 나서도 아직 해결되지 않고 있어요.

- 아니, 수주는 산더미처럼 해놓고 어떻게 하시려고요?

- 그래서 저도 공장에 들어가 있는 것 아닙니까? 퇴직했던 직원들 어떻게 지내는지 계속 알아보는 중이고요.

- 아~~~ 그래서 스마트공장을 도입하려는 것이군요.

- 그렇죠. 어떻게 방법이 없을까요?

……

동상이몽(同床異夢)이 이처럼 절묘하게 만날 수 있단 말인가?

스마트공장 전문가로 활동하며 중소 제조업체에 자주 방문 중인 필자의 입장에서는, 사업을 주관하는 정부의 바람과 중소 제조업체의 현장 분위기를 동시에 바라볼 수 있는 위치에 있으므로, 까마득히 멀기만 한 정부와 기업 현장의 현실을 직시하며 저절로 한숨을 뱉어낼 수밖에 없다.

- 제발 로봇이라도 장비 앞에 서서 장비를 가동할 수 있다면, 어떻게든 이 고비를 버텨낼 수 있겠는데요.

절규하는 중소기업 대표님의 현장 목소리를 들으며, 마음속 깊이 짐을 안고 돌아올 수밖에 없는 한계를 절감한다.

얼마 전 만났던 춘천 닭갈비 종계장을 통해 알게 된 비즈니스 사이클이 떠올랐다.

신사업 초기 도입~정착 과정에 정부 지원이 집중되어 있으며, 수없이 많은 진흥원들이 정부 정책자금을 지출하며 초기에 뛰어든 기업들의 역량 강화를 위해 힘쓴다.

예시로 제시한 다음 그림을 살펴보자.

비즈니스 사이클 사례

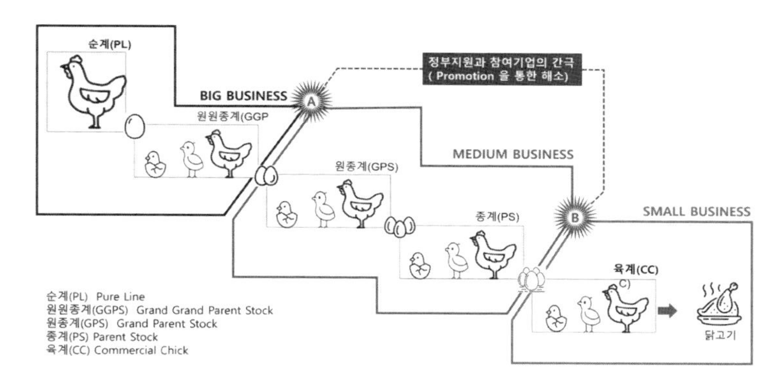

출처: 이한규

우리가 일상에서 만나는 계란이나 닭은 상기 그림의 최말단 사이클에서 대량 복제되는 과정을 거쳐 충족된다.

그러나 초우량 종(순계)을 확보하고 이의 유전학적 특성을 연구하여 단계를 거쳐 대량 보급에 이르는 최초 단계에 정부 정책이나 R&D 지원이 집중되고, 사이클의 중간 이후 말단까지의 경제 영역에는 거의 지원되지 않는 것이 당연한 정책 지원의 원리일 것이다.

그런 의미로 상기 그림을 다시 살펴보면, 비즈니스 (A)는 정부와 기관의 장려(진흥) 포인트, 비즈니스 (B)는 참여기업의 현재의 관심사를 나타내며, 비즈니스 (A)와 (B) 사이에는 깊은 간극이 존재할 수밖에 없는 구조이다.

이 간극을 어떻게 해소할 것인가?

정부의 정책적 배려를 기다리면 해소가 될 것인가?

4. 동상이몽(同床異夢) 2 - 스마트공장 도입 사례

또 하나의 동상이몽(同床異夢) 사례를 살펴보자.

4차 산업혁명 핵심사업 추진체계: 스마트공장, 데이터, AI, 로봇

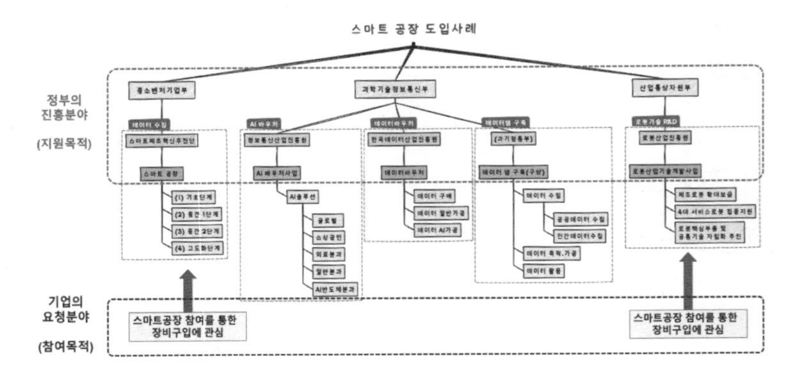

출처: 이한규

수년 동안 막대한 예산으로 추진된 스마트공장, 데이터바우처, AI바우처, 로봇산업기술개발사업 등은 본래 제조 현장 적재적소에 도입되어야 하는 4차 산업혁명 핵심 기술 분야이지만, 실제로 각 단계마다 막대한 예산이 투입되어야 하므로, 정부부처들이 구분되고, 각 사업을 지원할 수 있는 진흥원이 별도로 설립되어 개별사업으로 진행되고 있다.

정부가 막대한 예산을 들여 데이터, AI, 로봇, 스마트 구축사업을 추진하는 궁극적 목적은, 4차 산업혁명의 핵심이라 할 수 있는 '대한민국 데이터 댐(DAM)을 구축하고 활용'하기 위해서 지원하는 것이다.

그러나 이 사업에 참여하고자 하는 기업은 정부의 원대한 구상보다는 당장 발등에 떨어진 기업의 어려움을 해소하려는 목적을 갖고 정부사업에 참여하게 되는 것이다.

국가지원 스마트 정책과 국가 데이터 댐 관계(개념도)

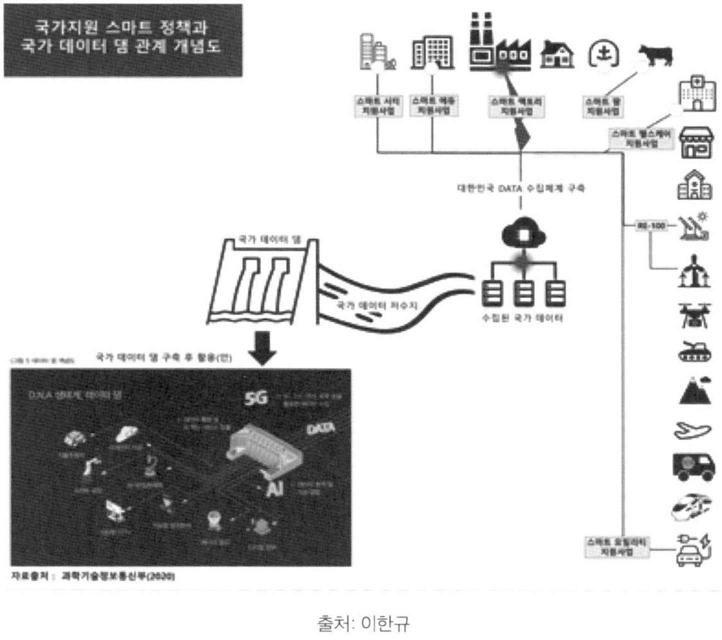

출처: 이한규

위 그림에서처럼 원대한 국가적 목표를 설정하고 차근차근 개별사업을 추진하는 정부의 입장과 당장 발등의 불을 정부사업 참여를 통해 해소하고자 하는 기업 간의 간극이 참으로 멀고도 먼 것이 현실이다.

구체적으로 살펴보면, 가장 현실적인 참여 목적은 '기업이 원하는 장비 구입'이며, 나머지 비용으로 구입 장비의 운전 데이터를 자동으로 수집할 수 있는 'MES 시스템을 구축하는 것'이 표준적인 스마트공장 도입체계이다.

현재의 방식으로 스마트공장이 성공하여 일손이 부족한 공장의 장비 앞에 사람 대신 로봇이 서 있을 수 있으려면, 중소벤처기업부가 주관하는 스마트공장(기초 단계, 중간 1, 2단계, 고도화 단계) 지원사업, 과기정통부가 주관하는 데이터바우처, AI바우처 지원사업, 산업통상자원부가 주관하는 로봇산업기술개발사업 등이 모두 성공해야 가능성이 보일 정도일 것이며, 기간도 최소 5~10년 이상이 소요되는 '멀고도 깊은 간극'이 존재한다고 볼 수 있다.

정부의 지원사업으로는 당장의 기업들 앞에 놓인 발등의 불을 끌 수 없다는 것이 필자의 확고한 신념이다.

결국 동상이몽(同床異夢)은 존재하며, 깊은 간극을 메우지 못하는 아쉬움은 거의 기업에게 허탈함으로 귀결되고 만다.

그렇다면, 기업 앞에 놓인 발등의 불 '인력난 해소'에 근접할 수 있는 실질적 대안 발굴에 관심을 쏟을 필요가 있지 않겠는가?

5. 은퇴자가 공백을 제도적으로 채울 방법은?

공장 근무 경험이 있는 은퇴자들이 온몸으로 체득하며 축적한 경험은 우리 사회의 소중한 자산이다. 각각의 머릿속에 담긴 경력들을 한 곳에 담을 수 있는 수단이 마련되고, 수요와 공급을 연계할 플랫폼이 구축된다면…….

가칭 '매칭 플랫폼' 구상

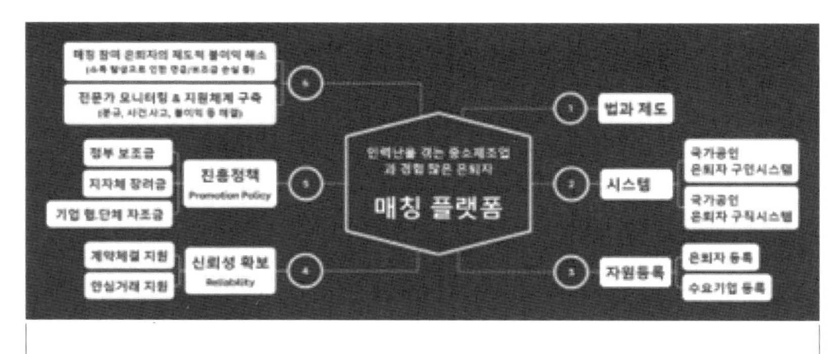

1) 법과 제도적 검토 및 사회적 합의

2) 국가 공인 은퇴자 구인시스템, 구직시스템 구축 및 공공성을 담보할 수 있는 기관에 위탁운영

3) 은퇴자 및 수요기업 등록 시 자격 여부 철저 검증 필요

4) 계약 체결 및 안심 거래 관련 신뢰성 확보체계 구축
5) 정부, 지자체, 기업 협·단체 등으로부터의 제반 진흥 정책 확보
6) 전문가 모니터링 및 참여하는 은퇴자의 불편사항 해소 지원

출처: 이한규

상기 도표와 같은 매칭 플랫폼 마련을 위해 정부와 산업체 그리고 은퇴자를 포함한 근로자가 머리를 맞대야 한다. 이를 통해 경험 많은 근로자들이 떠난 이후 청년 세대의 진입이 원천적으로 차단되고 있는 중소 제조 분야의 인력난 해소에 물꼬를 트는 길을 찾아내야 할 것이다.

6. 제언: 은퇴자 수익 포털, 비즈니스 NGO 도입

비즈니스 NGO 구상

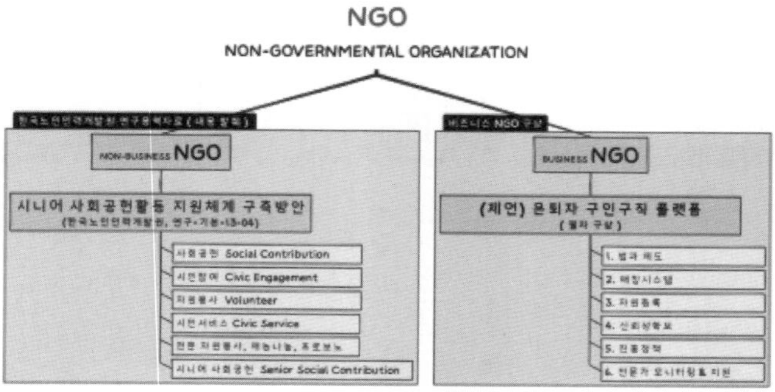

출처: 이한규

다소 뜬금없긴 하지만, '비즈니스 NGO'라는 영역을 상상해 본다. NGO라는 개념의 발단이 공적 성격을 띤 분야이지만 정부가 A부터 Z까지 모두 다 할 수는 없으니, 매우 적은 활동비 정도의 지원을 통해 사회의 공적 기능이 유지되도록 하려는 목적이 있다고 생각해 볼 때, 비즈니스 NGO라는 말은 상식적으로 존재할 수 있는 영역이 아님은 자명할 것이다.

정부나 NGO가 나서서 특정 개인이나 집단의 경제 활동을 직접 지원하는 일을 선뜻 할 수는 없기 때문일 것이다.

그럼에도 불구하고, '비즈니스 NGO' 개념을 강력하게 제안하고 싶은 이유는 바로 '은퇴자의 근로복지'와 정부나 NGO의 '사회문제 해결'이라는 양측의 가치관이 만나는 접점(接點, Contact Point)이 될 수 있음은 물론, 인구 고령화 시대의 중요한 해결책의 단서가 될 수 있다는 신념 때문이다.

정부나 NGO가 개인이나 개별 기업의 경제 영역에 직접 개입하지 않으면서도, 완전히 민간에 맡겨서 나타날 가능성이 있는 제반 '부작용, 불이익, 불만족'을 해소해 줄 합리적 방안을 찾을 수만 있다면, '은퇴자 수익포털, 비즈니스 NGO'라는 영역의 도입도 불가능한 일은 아닐 것이다.

인구 고령화와 중소기업 인력난을 동시에 겪고 있는 우리 사회의 심각한 문제에 접근할 수 있는 작은 불씨를 던지는 심정으로 이 글을 마친다.

참고문헌

- 중소기업 뉴스 - 중소·중견기업 평균근속연수(2015-04-07)
- 한국노인인력개발원 용역자료 - 시니어 사회공헌활동 지원체계 구축방안(연구-기본-13-04)

저자소개

이한규 LEE HAN KYU

학력

- 전북대학교 공과대학 정밀기계공학과 졸업
- 전북대학교 생명자원과학대학원 졸업

경력

- 쌍용중공업, 대우상용차 근무
- 중국 STX대련조선동반진출기업(세진정공) 총경리
- 현) 우석대학교 전기자동차공학부 조교수
- 현) 전주시중소기업연합회 자문교수
- 현) 중소기업융합전북연합회 홍보위원장
- 스마트제조혁신추진단 전문가
- 중진공 글로벌사업처 해외기술교류사업 전문가
- 창업진흥원 평가위원
- 농어촌개발컨설턴트(한국농어촌공사)

수상

- 중소기업진흥공단 이사장 표창장
- 한국외국어대학교 총장 감사장
- 중소벤처기업부 장관 표창장
- 대통령직속 국가균형발전위원장상(지역혁신가)

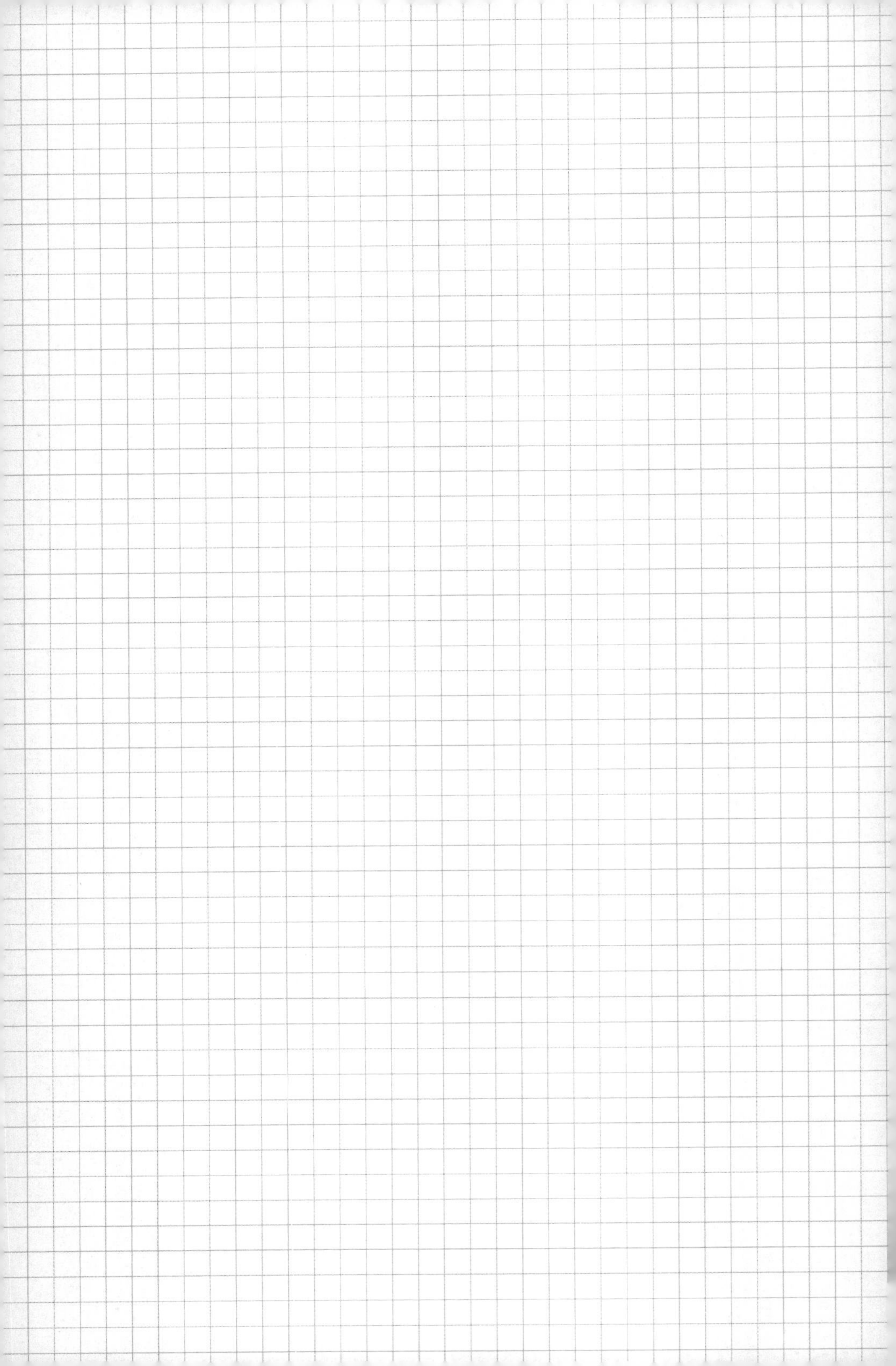

제8장

다가오는 초고령사회, 인생 2막 로드맵

이상린

1. 들어가며

눈이 많이 오던 2024년 1월 10일 7사단에서 군 복무 중인 아들이 휴가를 받아 화천에서 춘천으로 버스를 타고 오고, 필자는 새벽에 일어나 어머니의 식사를 준비한 후 충주에서 원주와 홍천을 지나 춘천에 도착해 아들을 만났다.

새해 1월 1일 사진관에서 기념사진 촬영(2024년에는 1월 10일에 촬영함)

전날부터 눈이 많이 내려서 새벽 일찍 일어나 시속 40~50km 속도로 운전해서 갔었다. 이는 나의 삶의 속도와도 비슷한 것 같다.

눈이 와서 빠른 속도로 운전하지는 못했지만, 눈 내린 아름다운 풍경과 잔뜩 긴장하며 운전했던 그 날의 기억은 아직도 생생하다.

다행히 아들은 버스를 타고 안전하게 춘천 시내에서 내렸다. 아들과 반갑고 기쁜 마음으로 만난 후, 함께 눈 내린 풍경도 보고 사진도 찍었다. 그렇게 아름다움을 느끼며 휴가를 시작하기 위해 집으로 왔다.

아들은 새해에 혼자 있을 아빠를 생각하는 마음과 며칠 뒤면 있을 아빠의 생일을 축하하기 위해 2023년 12월경 부대에 휴가 신청을 했다고 한다.

아들을 키우면서 아빠로서 많이 미흡하고 부족했지만, 아들이 커가는 모습과 생각하는 것을 보고 느낄 때면 건강하게 잘 성장해 주고 있어 고맙다는 생각을 한다

지금은 휴가를 마치고 복귀해 2024년 10월 전역을 목표로 남은 군 생활을 건강하게 보내고 있다.

필자는 그쯤 해서《멘토들과 함께하는 인생 여정》의 저자인 김영기 교수님을 알게 되었는데, 교수님과 긴 통화도 하고, 눈 내리는 날 커피숍에서 만나 이야기도 나누었다. 그리고 그분과의 대화를 통해 새로운 인생 여정을 고민하게 되었다.

《멘토들과 함께하는 인생 여정》 책표지

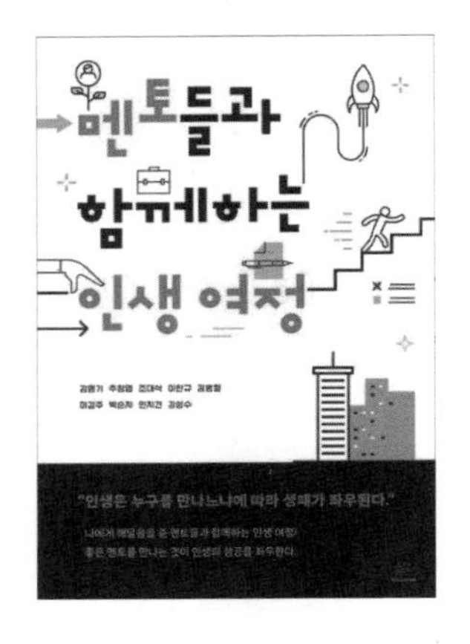

또한 김영기 교수님을 통해 감사하게도 교육 기회와 함께 자격 취득의 기회까지 얻을 수 있었다. 스스로 각성하는 기회를 얻을 수 있었다.

아들은 2024년 10월 전역을 하고 나면 2025년에 간호학과에 복학할 예정이다. 그리고 몇 년 후엔 간호학과를 졸업하고 면허 시험에 합격한 후 목표로 하는 대학병원에 취업해 간호사로서의 사회 활동을 계획하고 있다. 필자 또한 그렇게 믿고 있다.

지금으로부터 몇 해 뒤, 아들은 사회생활을 시작할 것이고 필자에게는 50대 중반을 넘긴 인생 2막의 시간이 찾아올 것이다. 또한 홀로서기 인생 2막도 시작할 것이다.

다가올 날이 반갑지는 않지만, 그렇다고 아무런 노력과 계획 없이 기다리고 있기에는 삶의 시간 총량이 아깝다는 생각이 든다.

필자는 어느덧 50대 중년이 되었고, 필자와 비슷한 삶을 살아가는 동시대 50대 중년들의 인생 2막에 대해 생각하고 정리하는 책을 쓸 기회를 얻게 되었다. 책을 쓸 기회 그리고 인생 2막에 대해 다시금 생각하고 정리할 기회를 만들어 주신 김영기 교수님에게 우선 감사를 전하고 싶다.

인생의 목표를 세우면 계획대로 실천도 할 수도 있겠지만, 뜻하지 않은 장애물을 만나 실천하지 못할 수도 있을 것이다. 그때마다 이 글을 쓰고 있는 지금을 생각하며 초심을 잃지 않을 것이다. 한 걸음씩 더 걸어가는 인생 그리고 잠시 앉아 휴식할 수는 있겠으나, 한 걸음을 더 걷기 위해 잠시 쉼이라고 각성할 기회로 삼고자 한다.

우리가 앞으로 살아가야 할 시대는 초고령사회로 중년들은 인생 2막을 각자의 페이스로 준비해야 하는데, 지금보다 많은 고민이 필요한 때인 것 같다.

필자는 세종경영연구소 소장으로, 중소기업과 소상공인들의 애로사항을 함께 고민하고 해결 방법 등을 제시하는 등의 경영컨설팅 일을 하고 있다. 이러한 관점에서 인생 2막에 대한 필자의 생각을 정리해 보고자 한다.

2. 직업과 재창출

네이버 국어사전에 '직업'과 '재창출'을 검색해 보니 직업은 "생계를 유지하기 위하여 자신의 적성과 능력에 따라 일정한 기간 동안 계속하여 종사하는 일", 재창출은 "무엇을 다시 이루거나 만들어 냄"이라고 정의하고 있다.

그리고 '생계'와 '적성' 그리고 '능력'을 검색해 보니 생계는 "살림을 살아나갈 방도 또는 현재 살림을 살아가고 있는 형편", 적성은 "어떤 일에 알맞은 성질이나 적응 능력 또는 그와 같은 소질이나 성격", 능력은 "일을 감당해 낼 수 있는 힘"이라고 정의하고 있다.

현재 우리나라는 60대에 정년을 맞이하는 경우가 제일 많으니 50대 중년들은 앞으로 10~15년 정도 직장생활을 앞둔 것으로 볼 수 있다.

주요 국가의 정년

국 가	정 년	국 가	정 년
한국	60세	스웨덴	65세
아이슬란드	67세	덴마크	65세
노르웨이	67세	핀란드	65세
그리스	67세	스위스	65세
미국	정년제도 폐지(1986년)	이탈리아	65세
영국	정년제도 폐지(2011년)	네덜란드	68세
일본	65세	오스트리아	65세
독일	65세	스페인	65세
프랑스	62세 ~ 67세	호주	65세

필자는 종종 지인들과 대화를 하다가 '정년까지 일할 수 있을까?' 하는 걱정 섞인 고민을 나누곤 한다.

10여 년 정도의 직장생활을 앞두고, 은퇴 후 생계를 유지하기 위하여 지금까지의 커리어와 적성 그리고 능력을 발휘해야 하는 재창출의 시기가 찾아온 것이다.

어떤 일을 해야 할 것인지? 나의 커리어와 적성에 맞는 것은 무엇인지? 그리고 어떤 능력을 발휘할 수 있는지를 신중히 고민도 하고 전문가에게 상담도 받고 철저히 계획을 세워야 할 때이다.

필자는 이수그룹 계열사 경영지원팀에서 근무할 당시 레크리에이션 자격과 스킨스쿠버 강사 자격을 취득한 경험이 있다. 지금도 그 경험과 경력을 살려서 봉사의 기회와 취미 활동을 하고 있다.

스킨스쿠버 동호회 활동 중

먼저 레크리에이션 자격을 취득한 후 대인관계에서 조금 더 편해짐을 느꼈고, 종종 모임 자리에서 분위기를 주도할 기회도 가질 수 있었다. 레크리에이션 자격 취득은 수입 자동차 마케팅팀 업무를 하는 데에도 큰 도움이 되었다.

한편 스킨스쿠버 강사 자격을 취득한 후 동호회 활동을 함께한 직장동료들과는 대화의 공통 주제가 생기게 되어 많은 도움을 받은 것 같다. 당시 자격을 취득한 동기들은 현재 사업과 직업으로 제2의 인생을 살고 있다.

창업적인 관점에서 생각해 보면, 사업 아이템 성공 요소 중 하나인 '잘하는 것'에 해당하는 내용과 일맥상통하는 부분이 있는 것 같다.

직장생활을 하며 또는 사회생활의 경험을 살려 창업을 고민할 때 경험과 취미, 자격 등으로 자신이 잘하는 것을 떠올리게 되고, 경쟁력이 있는 창업인지 시장조사를 하는 것이 사업 아이템 성공 요소인 '잘하는 것'에 해당하는 것이다.

필자는 직장생활을 하면서 미리 창업을 학습하고 경험한 적이 있다. 소위 말하는 남의 돈으로 창업 및 경영을 학습해 본 것이다.

당시 회장님의 수명 업무는 사업 아이디어, 판로 개척, 정책자금을 통한 현금 흐름을 원활하게 하는 것과 매출 상승이었다. 경영을 경험하게 된 것이다.

수명 업무는 그야말로 맨땅에 헤딩이었다! 아무런 관련 지식도, 경험도, 경력도 없는 백지 상태와 같았다. 처음 접하는 업무다 보니 학습하고 물어보고 상담받고 법률을 찾아보고 발품을 파는 것이 일상이었다.

그러다 국가를 당사자로 하는 계약에 관한 법률을 이해하게 되었고, 조달청 물품 등록에 따른 신인도, 가점, 우선구매 등을 차츰 이해하면서 인증 업무에 눈을 뜨게 되었고 인증을 통해 신인도를 높이는 업무를 맡게 되었다. 그때부터 마치 심 봉사가 눈을 뜬 것처럼 새로운 눈으로 업무를 바라보게 되었다.

인증 취득과 제안 공모, 영업적인 노력, 구성원들의 노력이 더해지면서 매출이 생기고 매년 매출이 늘어나는 재미도 느끼면서 회사의 성장을 함께 경험하게 되었다.

그리고 몇 안 되는 직원들로 시작한 회사는 현재 몇십 명이 되는 조직으로 성장했고 동종 업종에서 기술력과 영업적인 경쟁력을 갖는 회사가 되었다.

지금의 경영컨설팅 업무 중 인증 업무는 정주영 회장의 '해봤어?' 정신을 바탕으로 한 경험과 학습 그리고 자격증을 기반으로 했기에 노하우가 많이 생긴 것이 아닌가 싶다.

신기술인증(NET)을 취득하기 위해 작업한 서류

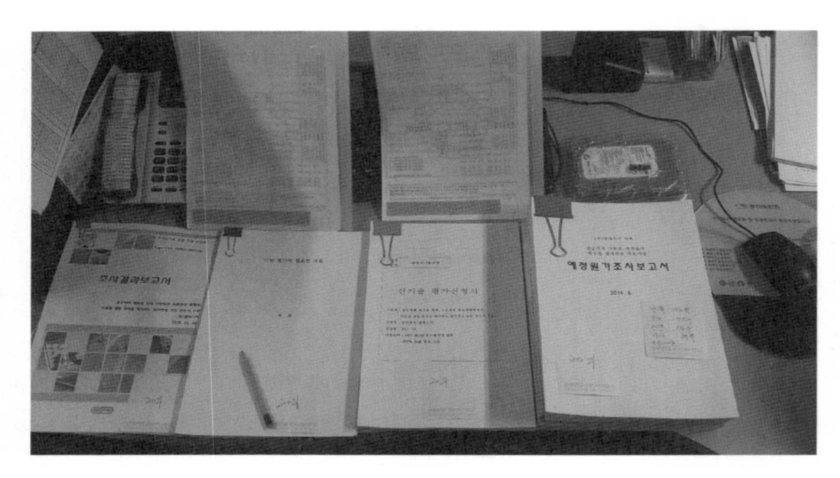

국가기관 또는 공공기관의 인증은 단계 과정별로 난이도가 높은 인증들이 있다. 이렇게 난이도가 높은 인증은 '우선구매 대상'이 되어 매출에 커다란 도움을 받을 수 있다. 조달 업무 중 성능인증(EPC)과 신기술인증(NET) 등이 그중 하나에 속한다.

다들 어렵다고 하는 것을 아무것도 모르는 필자는 법규와 제도 그리고 사례를 찾아가면서 스스로 문제를 찾고 해결하고 시험기관에 시험, 시편, 현장 검증, 서류 평가, 발표, 질의응답 등 절차를 거쳐 성능인증과 신기술인증을 취득한 경험이 있다.

경험을 바탕으로 한 세종경영연구소 업무 분야

구분	인증종류 및 내용	비고
경영시스템	ISO9001(품질경영시스템)	선임심사원 심사원
	ISO14001(환경경영시스템)	
	ISO45001(안전보건경영시스템)	
	위험성평가 컨설팅	
	ISO 품질.환경.안전보건 컨설팅	
ESG	ESG 인증	ESG국제 심사원자격
	ESG 진단	
	ESG 컨설팅	
	에코바디스(Ecovadis) 컨설팅	
	제3자검증의견서	
혁신형기업	기업부설연구소.전담부서	
	벤처기업 인증	
	이노비즈 기업 인증	
	경영혁신형 중소기업 인증	
	신기술(NET)인증	
우선구매 수의계약 인증	성능인증	
	신기술인증	
	녹색기술인증	
	신제품인증	
	우수조달제품인증	
나라.학교 장터	물품 등록외	
한국산업인력공단	직업능력개발사업	HRD전문가 (외부전문가)
	-중소기업 학습조직	
	-인적자원개발 인증	
	-기업맞춤형 현장훈련	
	-청년취업아카데미	
	일학습병행	
	국가인적자원개발 컨소시엄	
직무활동사항	한국문화산업협회	외부전문가
	ESG 부울경센터	전 문 위 원
	전북산업전문가협회	회 원
	한국M&A거래소	파 트 너
	강원산합융합원	외부전문가
	화학바이오산업인적자원개발위원회	외부전문가
	한국방재협회	회 원

어려운 상황에서도 '해봤어?' 정신으로 포기하지 않고 혼자서 묵묵하게 발품과 학습을 통해 인증을 취득했다.

제조업의 업무 경험을 바탕으로, 법인 설립, 공단 입점의 장점, 법령, 여성 기업, ISO 인증, 직접생산증명, 벤처 기업, 이노비즈 기업, 메인 비즈 기업, 조달 물품 등록, 다수공급자 계약, 성능인증, 신기술인증과 정책자금 그리고 특허 출원, 판로 개척 등의 업무를 몇 개 법인을 통해 직접 경험해 볼 기회가 있었고, 이 특별한 경험이 지금의 경영컨설팅 업무에 큰 도움을 주고 있다.

자신이 했던 일 중 잘할 수 있는 것을 찾는다면 그것이 창업 아이디어를 찾는 기회의 장이 될 것이며, 인생 2막을 조금 더 좋은 환경으로 만들 기회를 가질 수 있을 것이다.

다가올 초고령사회는 100세 시대라고 한다. 소위 말하는 장수하는 세상이 도래하는 것이다. 필자와 같이 인생 2막을 앞둔 50대 중년들은 지금부터 100세 시대를 준비해도 절대 늦지 않았다고 본다.

지금까지의 직장생활과 사회생활을 통한 경험 중에서 잘하는 것을 정리하고 활용한다면, 인생 2막 재창출을 위해 시작하는 단계가 될 수 있을 것이다.

독자 여러분은 더 이상 머뭇거리지 말고 인생 2막을 위해 필자와 함께 앞으로 나갔으면 한다. 필자도 글을 쓰면서 다시금 마음을 다잡고 있다.

필자는 도전하지 않는 삶이 도전하는 삶보다 좋지 않다고 생각하지는 않는다. 하지만 도전하는 삶은 살아있는 동안 지속해야 한다고 생각한다. 이왕이면 '해봤어?' 정신을 실천해 본다면 더 좋지 않을까 생각해 본다. 메모지를 찾아 자신이 잘하는 것이 무엇인지를 적어보고 생각해 보길 기대한다.

3. 자아실현과 삶의 목표

우리가 직업을 선택할 때 무엇보다 고려해야 할 요소는 바로 자신의 능력과 적성에 맞는지 여부일 것이다.

예를 들어 의사는 많은 사람들에게 선호되는 직업이지만 인체에 무심하게 접근할 수 없는 심성의 소유자나 수술에 필요한 손기술이 부족한 사람의 경우 능력과 적성이 맞지 않는다고 볼 수 있다.

이러한 고찰을 통해 우리는 하나의 직업을 선택할 때 직업 활동에 따른 수입이나 사회적 평판과 같은 외부적인 요인이 아니라 그 직업이 갖는 내재적 가치에 주목할 필요가 있음을 알 수 있다.

나아가 직업이란 사회 윤리적인 의미를 갖는 활동임을 고려할 때 직업 활동을 통한 자아실현의 내용에는 인정을 통한 자부심이 함께 포함되어 있다는 것도 인식해야 한다.

필자는 삶의 목표를 아직 정의하지 못하고 있다. 그리고 삶의 목표도 뚜렷하지 못한 것 같다. 다만 가치 있는 일을 하며, 가치 있는 삶을 살고자 한다. 아들 또한 건강하게 사회생활을 잘하기를 바라고 이바지하는 삶을 살기를 바라는 생각을 하고 있다.

중년의 자아실현 관점에서 직업적인 부분은 중요한 역할을 한다고 생각해 본다.

첫째, 직업적 만족도이다. 중년에는 직업에 대한 만족도가 더욱 중요해진다. 과거의 경력과 경험을 바탕으로 자신의 역량과 관심사를 고려하여 더욱 만족스러운 직업을 선택하거나 현재의 직업에서 더욱 의미 있는 역할을 하고자 할 것이다.

둘째, 자기계발과 교육이다. 중년에도 계속해서 자기계발과 교육을 통해 기술과 지식을 갱신하고 발전시키는 것이 중요하다. 새로운 기술이나 업무 방식에 적응하고 성장하기 위해 학습에 주의를 기울일 필요가 있다.

자기계발을 위해 ESG 국제심사원 교육을 받는 모습

셋째, 경력 전환 또는 재출발이다. 중년에는 가족 상황이나 개인적인 욕구 변화 등의 이유로 경력 전환 또는 재출발을 고려하는 경우가 많다. 이를 통해 자아실현의 새로운 기회를 찾을 수 있다고 본다.

넷째, 리더십과 멘토링이다. 중년에는 지도자나 멘토의 역할을 맡는 경우도 많다. 자신의 경험과 지식을 바탕으로 후배들을 지도하고 가르치며 조직 내에서 리더십을 발휘하는 것이 자아실현에 도움이 될 수 있다.

다섯째, 사회적 기여와 의미 있는 일이다. 중년에는 자신의 직업을 통해 사회에 기여하는 것이 의미 있는 일로 여겨질 수 있다.

사회적 문제에 대한 해결책을 찾거나 지역사회나 국제사회에 봉사하는 등의 방식으로 자아실현을 이룰 수 있다.

이러한 자아실현 관점을 통해 삶의 목표를 다시금 생각하고 정립을 해야 할 시기인 50대 인생 2막을 마주하고 앉아있다.

4장에서는 이런 관점에서 50대 인생 2막을 준비하는, 필자의 인생 2막을 위한 준비 및 목표를 이야기해 보고자 한다.

4. 인생 2막 준비

다른 50대 인생 2막을 준비하는 분들의 생각과 목표도 많이 궁금하다. 인생에 정답은 없다지만, 50대 인생 2막을 준비하시는 모든 분이 인생 2막을 마무리할 때쯤 참 잘했다고 박수받으며 인생 2막이 마무리되기를 기원해 본다.

필자의 인생 2막은 군 복무를 마치고 간호학과에 복학 후 아들의 졸업 즈음해서, 필자도 새로운 몇 가지 목표를 이루고 인생 2막을 위해 준비 계획하고 있다.

바로 필자의 'VISION 2027'이다

50대 이상린의 인생 2막 로드맵을 정리하고 4가지 미션을 달성하고자 한다.

첫째, 인생 2막에 들어서며 경영컨설팅 사업을 위해 박사학위 취득을 도전하고자 한다. 이를 통해 더욱 깊이 있는 지식과 전문성을 갖추고 경영컨설팅 사업에 경쟁력을 높이고자 한다. 미래의 경영컨설팅 분야에서 더욱 효과적으로 성과를 이룰 수 있도록 노력하고자 한다.

둘째, 초고령사회를 준비하는 중년들을 위해 봉사 활동을 하고자 하는 목표를 갖고 있다. 필자의 경험과 지식 자격과 노력을 통해 초고령사회 인생 2막을 준비하고, 삶의 질이 향상되는 데 도움을 줄 수 있는 봉사 활동을 찾고 있다.

소통과 연결을 통해 그들의 삶에 긍정적인 변화를 일으키고, 사회적 연대감을 높이는 데 이바지하고 싶다. 이를 통해 필자의 삶에 의미를 부여하고, 더 나은 사회를 위해 노력하는 일원이 되고 싶다.

셋째, 인생의 2막 단계에 접어들면서 건강은 이제는 선택이 아닌 필수적인 요소로 자리매김하고 있다. 건강이 절대적인 가치임을 깨닫고, 건강을 유지하기 위해 노력하는 것이 필수라고 생각한다. 이를 위해 주 4회 이상, 1일 50분 이상의 유산소 운동과 근력 운동을 통해 건강을 챙기고자 한다.

특히 유산소 운동은 심혈관 기능을 강화하고 체지방을 감소시키는 데 도움을 준다. 근력 운동은 근육량을 유지하고 뼈 건강을 증진하며 대사를 촉진하기 때문이다.

건강한 삶을 위해서는 운동뿐만 아니라 올바른 식습관과 충분한 휴식도 중요하며, 균형 잡힌 생활습관을 유지하고 건강을 위한 다양한 노력을 계속할 것이다. 이를 통해 더욱 건강하고 행복한 저자의 초고령사회 인생 2막 삶을 살아갈 것이다.

끝으로, 인생 2막을 함께할 여자친구를 만나는 것이다. 필자는 아들과 어머니와 함께 살고 있다. 안정적이고 행복한 가정을 꿈꾸고 있지만 그렇지 못하다. 이제는 아들과 어머니의 걱정을 해소하고자 한다. 저자 앞에 꼭 나타나길 희망한다. 그리고 그간 하지 못했던 평범한 일상의 행복을 함께 만들고 싶다.

초고령사회 50대 인생 2막을 위해 필자의 'VISION 2027'을 꼭 이루려고 매일 노력할 것이다. 그리고 2027년에는 독자들과 결과를 함께 확인할 수 있도록 공유해 보도록 하겠다.

처음 글을 쓰니 부담도 많고 쓰다가 지우기를 반복한 것 같다. 부족하지만, 필자가 살아야 할 초고령사회 50대 이상린의 인생 2막 로드맵을 써가며 스스로 다짐을 한 기회이기도 한 것 같다.

필자는 독자들이 생각할 기회와 조금이나 도움을 줄 수 있는 글이었다면 좋겠다. 그리고 독자들에게도 글쓰기를 권유해 보고 싶다.

끝으로, 존경하는 김영기 교수님께 초고령사회 50대 인생 2막을 책으로 기록하는 소중한 기회를 주신 것에 감사를 표하고자 한다.

교수님의 가르침과 격려는 저에게 큰 자신감을 심어주었고, 이 책이 저와 같은 삶을 사는 이들에게 영감을 주고 도움이 될 것이라 믿습니다. 감사드리며, 교수님의 가르침을 잊지 않고 앞으로의 글쓰기 여정에서도 교수님의 가르침을 따르겠습니다. 감사드립니다.

중년 여러분 힘내십시오! 이제 초고령사회 50대 인생 2막 후반전 자신만의 페이스로 시작해 봅시다!

참고문헌

- 유병규, 〈정년연장이 고령화 사회문제 해결에 미치는 영향〉, 한밭大學校 産業大學院 스마트 생산경영공학과, 2023.
- 고현범, 〈직업과 자아실현 직업관과 노동윤리를 중심으로〉, 고려대학교, 2011.

저자소개

이상린 LEE SANG RIN

학력

- 세종사이버경영대학원 MBA학과 2025년 졸업예정
- 경영학사

경력

- 세종경영연구소 소장(대표) - 경영컨설팅
- 현) 한국산업인력공단 외부전문가
- 현) 한국문화산업협회 외부전문가
- 현) 충남인력개발원 전문위원
- 현) 한국방재협회 평생회원
- 현) ESG부울경센터 전문위원
- 현) 한국M&A거래소 파트너
- 현) 서강대학교 총동문회원
- 현) 창업진흥원 평가위원
- 전) 대한적십자사 응급처치법 강사
- 전) 한국해양구조단 원주지역대 발기인

자격

- ISO9001(품질경영시스템) 국제심사원
- ISO14001(환경경영시스템) 국제심사원
- ISO45001(안전보건경영시스템) 국제선임심사원
- ESG 국제심사원
- 창업지도사 1급
- 기술평가사
- 기업회생관리사
- 소방안전관리자
- 산학연협력코디네이터
- 스킨스쿠버 강사
- 공공기관 전문면접관 교육 수료
- 채용면접관 1급 자격증

저서

- 〈배면부 퇴적방지판을 갖는 유압전도식 가동보〉, 한국방재협회, 지정번호 방재신기술 제104호 신기술 인증 및 성능 인증, 2015.

제9장

초고령화 시대의 시니어푸드 고령친화식품

손혜경

1. 고령자의 식생활과 영양실태

현대사회는 고령화되고 있다는 사실이 뚜렷하게 나타나고 있으며, 이는 다양한 사회적, 경제적, 건강 관련 도전 과제를 가져오고 있다. 특히 고령자의 식생활과 영양 상태는 그들의 삶의 질과 직접적인 관련이 있다. 이번 장에서는 고령자를 위한 건강한 식생활 가이드를 제공함으로써, 자신이나 가족의 식생활을 개선할 수 있도록 돕고자 한다.

고령자는 소화 기능의 변화, 치아 문제, 미각 및 후각의 감소와 같은 여러 신체적 변화를 경험한다. 이러한 변화는 영양소의 섭취와 식사 준비 방법에 영향을 미치며, 결과적으로 건강 상태에 큰 영향을 줄 수 있다. 따라서 고령자의 식생활과 영양 상태를 이해하는 것은 매우 중요하다. 이러한 내용을 바탕으로 고령자의 건강과 삶의 질을 향상하는 데 기여할 수 있기를 바란다.

(1) 고령자의 식생활 변화 이해하기

고령화는 개인의 식생활과 영양 섭취에 중대한 변화를 가져온다. 이 장에서는 고령자가 경험할 수 있는 식생활 변화의 원인과 그 영향에 대해 알아본다. 고령자의 식생활 변화를 이해하는 것은 그들의 영양 상태를 개선하고 삶의 질을 높이기 위한 첫걸음이다.

1) 식생활 변화의 원인

고령이 되면 신체 기능의 변화로 소화 효소의 분비가 감소하고, 위장 운동이 느려진다. 이러한 변화는 음식물의 소화와 흡수 능력에 영향을 미친다. 치아와 구강 건강의 저하 또한 고령자가 겪는 주요 문제 중 하나로 이는 음식을 씹고 삼키는 데 어려움을 초래하여 식사 선택에 제한을 가져온다.

이외에도 나이가 들면서 미각과 후각이 저하되어 음식의 맛을 잘 못 느끼게 되는데 이는 식욕 감소로 이어지고, 결과적으로 영양 섭취가 부족해질 수 있다.

이러한 신체 기능의 변화와 식욕 감소로 인해 고령자는 필수 영양소를 충분히 섭취하지 못할 수 있다. 특히 단백질, 칼슘, 비타민 D 등의 섭취가 감소하는 경향이 있다. 또, 고령자는 에너지 요구량이 감소함에 따라 식사량이 줄어들거나 식사 패턴이 변하며 이는 때때로 영양 불균형을 초래하기도 한다. 그 결과 부적절한 영양 섭취가 면역력 저하, 근육량 감소, 골다공증 등 다양한 건강 문제를 일으키게 된다.

이를 예방하기 위해서는 맞춤형 영양 계획을 세우는 것이 필요하다. 개인의 건강 상태와 영양 필요에 맞춘 식단을 구성하고 필요한 경우 영양보충제를 활용하여 영양소 섭취를 보충한다.

또 식사의 질을 개선하기 위해 고령자도 쉽게 섭취할 수 있으면서 영양가가 높은 음식을 선택한다. 예를 들어, 부드럽고 잘게 썬 음식, 영양 강화식품 등이 있다.

고령자의 식생활 변화를 이해하고 적절히 대응하는 것은 그들의 건강과 삶의 질을 향상하는 데 필수적이다. 개인의 특성과 필요를 고려한 식생활 관리가 중요하며, 이는 고령자 본인뿐만 아니라 가족과 보호자의 지속적인 관심과 노력을 필요로 한다.

2) 고령자의 영양 섭취 실태

우리나라 노인(65세 이상)의 영양 상태가 심각한 수준인 것으로 나타났다. 2015년 질병관리본부가 노인 2,876명을 대상으로 조사한 결과, 노인 6명 중 1명은 '영양 섭취 부족' 상태였다. 노인의 1일 권장 열량 섭취량(남성 2,000㎉, 여성 1,600㎉)의 75% 미만을 섭취하면서, 칼슘·철·비타민A·비타민B2 섭취량이 평균 필요량에 못 미치면 '영양 섭취 부족'이라고 정의한다.

조사에 따르면 노인 절반 이상이 영양결핍 상태인 것으로 나타났다. 칼슘이 부족한 노인이 전체의 81%나 됐고, 지방·단백질이 부족한 노인의 비율은 각각 70%, 30%였다. 비타민A·B·C와 철·인 등 미네랄의 섭취가 부족한 노인의 비율도 평균 40% 정도였다. 영양 섭취가 부족하면 신진대사가 원활하지 못하고, 면역체계가 약화해 각종 질환에 걸리기 쉽다.

따라서 고령자의 식생활 계획에 필수 영양소를 포함하는 것은 그들의 건강을 지키고 삶의 질을 높이는 데 매우 중요하다. 영양소의 적절한 섭취를 위해서는 다양하고 균형 잡힌 식단을 구성하는 것이 필수적이며, 필요한 경우 영양사나 의료 전문가의 상담을 통해 개인에 맞는 영양 계획을 수립하는 것이 좋다.

식품구성자전거

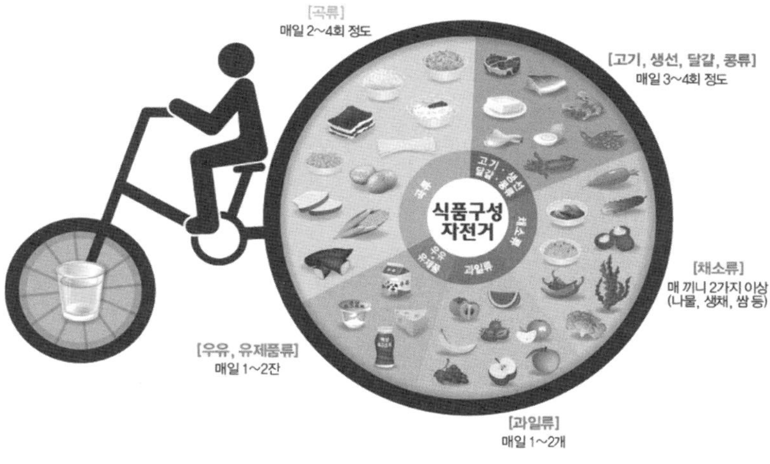

출처: 보건복지부·한국영양학회, 〈2020 한국인 영양소 섭취기준 활용 연구〉, 2021.

3) 씹고 삼키는 능력의 변화

고령자는 치아의 상실이나 잇몸 문제로 인해 음식을 씹는 데 어려움을 겪을 수 있다. 치아가 없거나 잇몸이 약하면 단단한 음식을 섭취하는 것이 어려워지고, 이로 인해 식단에서 중요한 영양소가 제외될 수 있다. 또한, 침 분비 감소는 음식물의 삼키기를 어렵게 만들며, 이는 소화 문제로 이어질 수 있다. 신경계 및 근육의 기능 저하는 음식을 삼키기 어렵게 하여 음식물이 기도로 들어가는 것을 방지하는 데 필요한 반사가 더딜 수 있다.

이러한 이유로 고령자의 식단에는 부드럽고 쉽게 씹을 수 있는 음식을 포함시키는 것이 좋다. 예를 들어, 삶은 야채, 과일 퓨레, 미음, 스무디와 같은 음식들이 적합하며 음식을 잘게 다지거나 블렌더를 사용하여 음식의 질감을 부드럽게 만들어 삼키기 쉽게 할 수 있다. 또한 식사에 충분한 시간을 할애하여 서둘러 먹지 않도록 하는 것이 좋다. 이는 삼키는 과정에서의 위험을 줄이고, 식사를 더욱 즐길 수 있게 한다.

그 외에도 정기적으로 치과 검진을 받고, 필요한 치과 치료를 통해 구강 건강을 유지하며 연하 곤란(삼킴 장애)이 있는 경우 전문가와 상담하여 적절한 치료 방법을 모색하는 것이 바람직하다.

고령자의 씹고 삼키는 능력의 변화에 적절히 대응하는 것은 건강한 식생활을 유지하고, 영양 상태를 개선하는 데 매우 중요하다. 식단 조정, 식사 환경의 개선 그리고 필요한 의료적 대응으로 고령자가 직면하는 식사 관련 문제를 최소화할 수 있다. 이와 관련하여 저작 및 삼킴이 용이한 연하식 및 연화식을 고령친화식품에서 자세히 다루도록 한다.

2. 고령친화산업 중 고령친화식품

「고령친화산업 진흥법」은 2006년 12월 고령친화산업을 지원·육성하고 그 발전 기반을 조성함으로써 노인의 삶의 질 향상과 국민경제의 건전한 발전에 이바지할 목적으로 제정되었다.

동법 제2조의 정의에서 고령친화산업은 고령친화제품 등을 연구·개발·제조·건축·제공·유통·판매 등의 업을 말하며, 고령친화제품 등은 '노인을 주요 수요자로 하는 제품 또는 서비스'라고 정의하고 있다.

고령친화산업의 범위는 용구·용품 또는 의료기기, 거주시설, 요양서비스, 금융·자산관리서비스, 정보기기 및 서비스, 여가·관광·문화 또는 건강지원서비스, 농업용품 또는 영농지원 서비스, 기타 노인을 대상으로 개발되는 제품 또는 서비스를 포괄하며, 동법시행령 제2조 의약품·화장품, 교통수단·교통시설 및 그 서비스, 건강기능식품 및 급식 서비스가 추가되어, 보건복지부와 한국보건산업진흥원은 고령친화산업 범주를 9개 분야(의약품, 의료기기, 식품, 화장품, 용품, 요양, 주거, 여가, 금융)로 제시하고 있다.

고령자 대상 조사결과에 따르면, 고령친화산업 제품의 필요 우선순위는 의약품, 의료기기, 개인건강·의료용품, 건강기능식품, 고령친화식품 순으로 식품에 대한 필요성이 높은 편인 것으로 조사되었다.

(1) 고령친화식품의 정의와 범위

「고령친화산업 진흥법 시행령」에 근거한 고령친화식품은 제한적이어서 법 제2조 제3호 '노인을 위한 건강기능식품 및 급식서비스'로 정의되어 있다.

'고령친화식품'이란 고령자의 식품 섭취나 소화 등을 돕기 위해 식품의 물성을 조절하거나, 소화에 용이한 형태가 되도록 처리하거나, 영양성분을 조정하여 제조·가공한 식품을 말한다. 고령자의 기능 저하로 인한 3대 섭식장애(저작, 연하, 소화)와 관련이 있으며 고령이 아닌 환자도 수요자가 될 수 있으나 고령자일수록 관련 질환이나 병증이 많다는 점을 들어 시장에서 고령친화식품으로 분류되고 있다.

그러나 고령친화식품의 범위를 폭넓게 접근하면 다음과 같다.

- 노인의 신체적 기능 저하를 반영하여 씹기 편하고 삼키기 쉬우며 소화가 잘되는 일반식품 - 두부류 및 묵류, 전통·발효식품(장류, 김치류, 젓갈류, 절임식품), 인삼과 홍삼 제품 등
- 노인에게 부족할 수 있는 영양소에 해당하는 단백질, 비타민 등이 풍부한 영양 보충용 특수용도식품
- 정상적인 섭취, 소화, 흡수 또는 대사할 수 있는 능력이 제한되거나 손상된 노인들을 위하여 특별히 제조·가공된 특수의료용도식품으로 연하곤란자용 점도증진식품, 신장질환자용식품, 당뇨식, 경관유동식 등

• 노인의 신체 건강 유지를 위해 유용한 기능성 원료나 성분을 사용하여 제조한 건강기능식품

고령친화식품에 대한 기준·규격

구분	내용
제1. 총칙 용어의 풀이	"고령친화식품"이란 고령자의 식품 섭취나 소화 등을 돕기 위해 식품의 물성을 조절하거나, 소화에 용이한 성분이나 형태가 되도록 처리하거나, 영양성분을 조정하여 제조·가공한 식품을 말한다
제2. 식품일반에 대한 공통기준 및 규격 제조·가공기준	식품일반에 대한 공통기준 및 규격 2. 제조·가공기준 24) 고령친화식품은 다음에 적합하게 제조·가공하여야 한다. 1. (1) 고령자의 섭취, 소화, 흡수, 대사, 배설 등의 능력을 고 려하여 제조·가공하여야 한다. 2. (2) 미생물로 인한 위해가 발생하지 아니하도록 과일류 및 채소류는 100 ppm 차아염소산나트륨을 함유한 물에 10분 침지 또는 이와 동등이상의 방법으로 소독 후 깨끗한 물로 충분히 세척하여 사용하여야 하고 육류, 식용란 또는 동물성수산물을 원료로 사용하는 경우 충분히 익도록 가열하여야 한다. 3. (3) 제품 100 g 당 단백질, 비타민 A, C, D, 리보플라빈, 나이아신, 칼슘, 칼륨, 식이섬유 중 3개 이상의 영양성분을 제8. 일반시험법 12. 부표 12.10 한국인 영양섭취기준(권장섭취량 또는 충분섭취량)의 10% 이상이 되도록 원료식품을 조합하거나 영양성분을 첨가하여야 한다. 4. (4) 고령자가 섭취하기 용이하도록 경도 500,000 N/m2 이하로 제조하여야 한다.
제2. 식품일반에 대한 공통기준 및 규격 식품일반의 기준 및 규격	3. 식품일반의 기준 및 규격 4) 위생지표균 및 식중독균 (1) 위생지표균 다. 고령친화식품 ① 대장균군 : n=5, c=0, m=0(살균제품) ② 대장균 : n=5, c=0, m=0(비살균제품)

출처: 식품의약품안전처고시 제2020-114호

(2) 관계 기관의 고령친화식품 활용 현황

황은미 외(2017)에서 보고한 서울특별시의 노인의료복지시설에서 죽식을 제공하는 시설이 전체 조사 시설의 90%에 달했고, 갈은식, 경관영양, 미음 역시 절반 또는 과반의 시설이 제공 중인 것으로 나타났다. 이는 노인을 대상으로 식사를 제공하는 시설에서 노인의 연하 및 저작곤란, 기저질환, 영양 부족 상태를 고려한 맞춤 식사 서비스에 대한 수

요는 절대적으로 필요하다는 것임을 알 수 있다. 그러나 노인 맞춤형 식사를 제공할 수 있는 시설을 이용하는 노인은 전체 장기요양시설 입소자 중 60%이며, 나머지 약 40%의 경우 조리 전문인력이 부족한 시설을 이용 중인 것으로 보고되었다.

전문 조리 인력이 없을 경우, 대체 인력이 제공할 수 있는 반조리 또는 완조리 형태의 식품이면서 동시에 노인의 기능 및 질환 상태를 고려한 고령친화식품의 제공이 필요할 것이다. 전문 조리인력이 있는 시설도 인력 부족, 주말 식사 시 인력 부재 등의 문제가 존재하며, 이와 같은 문제를 해소하기 위한 반조리, 완조리, 단일 식품 등 다양한 형태의 고령친화식품이 요구될 수 있다.

실제 김상효 외(2017)에서 노인복지시설을 대상으로 조사한 결과, 전체 조사 대상 시설 중 74.2%가 완제품(완조리/반조리)을 식단에 포함하여 사용하고 있는 것으로 확인되었다.

(3) 고령친화우수식품 지정제도

「고령친화산업 진흥법」 제12조 제1항 및 같은 법 시행령 제2조 제3호, 제7조 제1항에 따라 「고령친화우수제품 지정대상 식품 품목」의 〈농림축산식품부 고시 제2021-13호, 해양수산부 고시 제2021-53호〉고시하였고, 고령친화우수제품에 '식품'이 추가되어 고령친화우수식품의 세

분화된 규정으로 고령자들의 '식이 문제 완화, 삶의 질 향상' 등 긍정적인 효과를 기대할 수 있게 되었다.

이는 고령자의 섭취, 영양보충, 소화·흡수 등을 돕기 위해 물성, 형태, 성분 등을 조정하여 제조·가공하고 고령자의 사용성을 높인 제품을 우수식품으로 지정하기 위함에 목적이 있다.

고령친화우수식품으로 지정받기 위해서는 엄격한 품질규격 요건을 갖춰야 함은 물론 「식품위생법」에 따른 식품안전관리 인증기준(HACCP) 적용업소로 인증을 받은 영업자가 생산하는 제품(인증 대상 유형)과 「건강기능식품에 관한 법률」에 따라 품목제조신고가 완료된 제품이어야 한다. 2023년 10월 기준, 우리나라에는 일반 소비자용 71제품과 단체급식용 152제품, 총 223제품이 지정되어 있다.

고령친화우수제품 표시도형인 규격단계별 S마크

구분	1단계	2단계	3단계
표시도형	S "고령자를 위하여" 고령친화우수식품 치아섭취	S "고령자를 위하여" 고령친화우수식품 잇몸섭취	S "고령자를 위하여" 고령친화우수식품 혀로섭취
섭취 가능	치아 섭취 가능	잇몸 섭취 가능	혀로 섭취 가능
경도 (N/㎡)	500,000 이하 ~ 50,000 초과	50,000 이하 ~ 20,000 초과	20,000 이하
점도 (mPa·s)	-	-	1,500 이상

출처: 고령친화산업지원센터(https://www.foodpolis.kr)

(4) 케어푸드의 성장세

우리나라는 2025년 65세 이상 인구가 1,000만 명을 돌파할 것으로 보인다. 여기에 국내 합계 출산율은 2022년 0.78명에서 2023년 0.72명으로 사상 최저, 세계 최저를 기록했다. 이에 따라 식품기업은 케어푸드(Care food) 사업을 신성장 동력으로 삼고 시장 개척에 나서고 있다.

케어푸드란 그동안 '음식물 섭취와 소화에 어려움을 겪는 고령층을 대상으로 한 식품'으로 통용되면서 고령친화식품, 메디푸드로 불려왔다. 그 중 메디푸드는 '특수의료용도식품'으로 '정상적으로 섭취, 소화, 흡수, 대사할 수 있는 능력이 제한되거나 질병, 수술 등의 임상적 상태로 일반인과 생리적으로 다른 영양 요구량을 가진 사람의 식사를 대신할 목적으로 제조 가공된 식품'을 의미한다. 반면 업계에서는 케어푸드를 고령친화음식, 메디푸드 등을 포함한 더 넓은 범위의 개념으로 사용하고 있다.

인구 변화로 인해 식품기업들은 고령층을 겨냥한 제품을 지속적으로 개발할 전망이다. 국내 케어푸드 시장은 2021년 2조 5,000억 원에서 2025년 3조 원 가까이 늘어날 것으로 전망되는 만큼, 식품사들의 투자 및 사업 확대도 계속될 것으로 보인다.

실제로 식품업계는 늘어나는 고령층을 대상으로 한 다양한 '케어푸드'를 선보이고 있다. 초고령사회 진입이 현실화되면서 개인별 맞춤형 식단이 요구되기 때문이다. 그동안 미래를 위한 투자개념으로 꾸준히 사업을 전개해 온 업계에는 서서히 반응이 올라오고 있다.

지난 2015년 케어푸드 브랜드 '헬씨누리'를 론칭하며 시장에 발을 들인 CJ프레시웨이는 2022년 매출이 전년 대비 23% 증가했다고 밝혔다. 복지시설이나 요양원 등에 공급하던 것에서 단체급식으로 노선을 넓혔고, 최근에는 HMR 형태로 개발해 판매량이 지속적으로 증가하는 추세다. CJ프레시웨이는 향후 덮밥 형태의 다양한 상온 간편식 제품을 주력으로 삼겠다는 계획이다.

한국, 65세 이상 고령 인구 비율(%) 연도별 추이

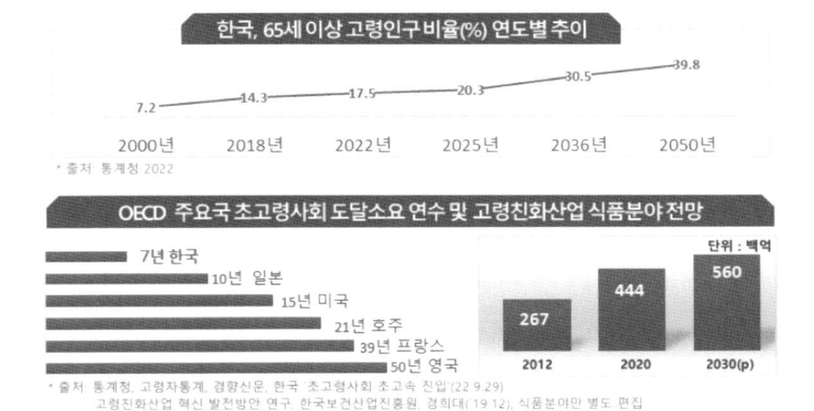

출처: 시니어 세대와 식품산업, 식품산업통계정보 2023

현대그린푸드도 2020년 론칭한 '그리팅'의 2022년 매출이 전년보다 120% 성장했다고 밝혔다. 재구매율도 60%에 달하고 있어 향후 메뉴를 100여 개 이상 확대할 방침이라고 밝혔다.

풀무원은 디자인밀 시니어 전문 브랜드 '풀스케어'를 통해 케어푸드 시장에 진출해 목 넘김이 편한 연하식, 씹기 편한 연화식, 음료 및 영양 간식 등으로, 다양한 제품을 구성해 큰 호응을 얻으며 최근 5년간 매출이 약 3배 성장했다.

아워홈은 2018년 론칭한 케어푸드 브랜드 '케어플러스'의 2022년 매출이 전년보다 30% 이상 증가했다고 밝혔다. 케어플러스는 육류, 반찬류, 소스류 등 22종 라인업을 구축하고 있다. 아워홈은 특히 고령자가 선호하는 육류, 떡, 견과류 등의 재료를 최대한 원형을 살린 상태에서 효소로 연화시키는 방식을 개발해 소비자들에게 큰 인기를 얻고 있다.

특히, 영유아 인구의 감소로 매일유업도 최근 케어푸드 사업을 키우며 포트폴리오 확대에 힘을 쏟고 있다. 매일유업 지주사 매일홀딩스는 2023년 자회사인 의료영양 전문기업 엠디웰아이엔씨 보유 지분 전량을 매각했다.

엠디웰아이엔씨는 2007년 매일유업과 대웅제약이 지분을 각각 50%씩 나눠 설립한 합작회사다. 매일유업은 2023년 12월 해당 회사의 영업권 양수도 계약을 체결하고 단독으로 사업을 운영하게 되었다.

2024년 메디컬푸드 사업부를 신설한 매일유업은 향후 케어푸드 제품군을 선보이며 시장 점유율을 높여간다는 계획이다.

케어푸드, 생애주기별 맞춤상품 식품브랜드

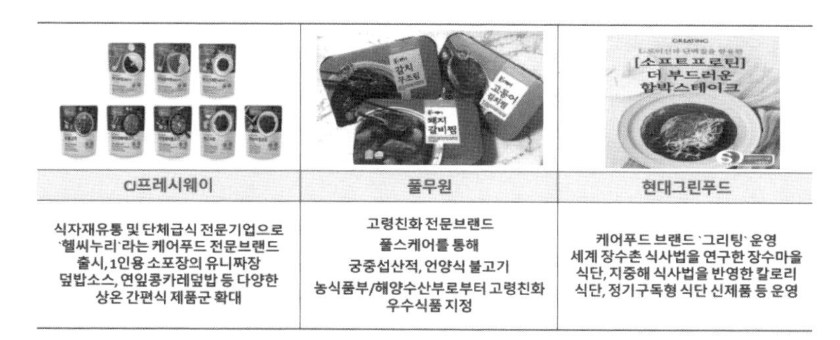

CJ프레시웨이	풀무원	현대그린푸드
식자재유통 및 단체급식 전문기업으로 '헬씨누리'라는 케어푸드 전문브랜드 출시, 1인용 소포장의 유니짜장 덮밥소스, 연잎콩카레덮밥 등 다양한 상온 간편식 제품군 확대	고령친화 전문브랜드 풀스케어를 통해 궁중섭산적, 언양식 불고기 농식품부/해양수산부로부터 고령친화 우수식품 지정	케어푸드 브랜드 '그리팅' 운영 세계 장수촌 식사법을 연구한 장수마을 식단, 지중해 식사법을 반영한 칼로리 식단, 정기구독형 식단 신제품 등 운영

출처: 〈시니어 세대와 식품산업〉, 식품산업통계정보, 2023.

3. 해외 고령친화식품 산업 현황

(1) 일본

닛세이 기초연구소에 따르면 60세 이상 인구의 소비총액으로 본 일본의 고령친화산업시장은 100조 엔이 넘는 거대한 시장으로 2030년에는 111조 엔으로 확대될 것으로 전망되며 60세 이상 인구의 소비가 전체 소비 중 차지하는 비중도 2013년 43%에서 2030년에는 49.3%로 증가될 것으로 전망하고 있다.

1) 시장 동향

이에 따라 고령자를 중요한 소비자로 인식하고 고령층이 필요로 하는 제품과 서비스를 제공함으로써 소비 확대를 유도하는 등 성장 동력으로 활용되고 있다. 저출산 현상으로 식품시장이 침체되어 있는 가운데, 일본의 식품 메이커들은 고령화에 따라 시장확대가 예상되는 요양식 비즈니스를 강화시켜 나가고 있다.

실제로 일본 내 유명 덮밥 프랜차이즈 '요시노야'는 2017년부터 자사 대표 식품을 연화시킨 '요시노야의 부드러운 덮밥'을 출시하였으며 대기업인 메이지, 마루하니치로도 새로운 상품 개발로 식품슈퍼에서 판매를 늘리고 있다.

일본의 고령친화식품

출처: 코트라 트렌드(https://dream.kotra.or.kr)

한국에서는 '고령친화식품'으로 일본에서는 개호식품(介護食品, Care

food)으로 칭하며, 여기서 개호(介護, Elderly care)'는 고령자를 돌보는 서비스로 한국에서는 간호, 요양, 간병 등으로 다양하게 번역될 수 있다. 고령친화제품을 처음부터 집에서 준비하는 것은 부담이 커 최근에는 시판되는 레토르트 제품을 적절히 이용해 만드는 것이 일반적이며 시판되는 고령친화식품에 재료를 추가해 다양한 요리를 만들 수 있도록 식료품 제조사에서도 조리법 등을 안내하고 있다.

일본 고령친화 가공식품 분류

구 분	특징
연하식	구매채널 제한으로 병원 및 고령자 시설에서 주로 사용
농후 유동식	병원 및 고령자 시설에서 식사요양비로 청구 가능 재택용 상품 확대 판매
저작 곤란식	재택용 (잘게 썬) 레토르트 식품 류
영양 보충식	푸딩, 젤리 등의 간식 및 디저트 류

출처: 고령자용 식품시장 동향, 농수산식품수출지원정보

2) 고령친화식품 규격 '유니버설 디자인 푸드'

일본 고령친화식품 협의회에서 제정한 규격으로 기준을 통과한 협회 가맹기업 상품은 포장에 UDF 마크를 표기할 수 있다. UDF 규격은 고령친화식품을 컨셉으로 한 가공식품이 출시됨에도 통일된 규격이 없어 이용자의 혼란이 예상됨에 따라 2002년 제정되었다. 장애 유무에 상관없이 편리하게 이용할 수 있는 제품이나 환경을 뜻하며 간병 대상자만이 아닌 일반인도 먹기 쉽다는 뜻에서 '유니버설 디자인 푸드

(Universal Design Food, UDF)'로 명명하게 되었다.

3) 일본의 고령자용 조리식품 배달 및 급식 서비스 시장

고령화가 빠르게 진행되면서 요양식, 건강보조식품 등 보건기능식품 시장은 지속적으로 확대되고 있다. 특히 현재는 고령자를 위한 도시락 택배 서비스 사업까지 등장하였는데 배달서비스 시장은 생협의 석식 배달과 기업의 환자·고령자용 배달서비스를 중심으로 최근 빠르게 증가하는 추세이다.

도시락 메뉴는 크게 보통식, 칼로리 조절식, 저단백식, 딱딱한 것을 씹기 어려운 노인을 위한 무스(Mousse)식의 4가지로 나뉜다. 또한, 알레르기나 특정한 질병에 대해서 알려주면 그에 따른 도시락을 준비해 주고, 1회성 주문 및 배달도 가능하다. 이 도시락 업체는 음식 배달에 머물러 있지 않고, 배달을 통해 고령자의 안부를 확인하는 서비스를 지원하고 있다.

(2) 미국

미국은 2010년부터 연도별 인구 증가분이 서서히 감소, 60세 이상 고령인구의 수는 꾸준히 증가하여 2050년에 전체 인구의 약 27%에 이를 것으로 예측된다. 정부 차원에서는 고령화가 초래할 가장 주요한 국가적 어려움을 고령화로 인한 건강 비용의 증가로 보고 건강 수명의 연장과 관련된 다양한 정책을 추진하고 있다. 이에 따른 고령친화식품 산업도 성장세를 보이는 중이다.

1) 3D 프린터를 활용한 고령친화식품

그중 디지털 기술을 활용한 고령친화식품 개발이 활발하다. 미국 플로리다 주의 Natural Machine에서 개발한 Foodini는 고령친화식품을 만들어주는 3D 프린터다. 스마트폰을 사용해 원하는 레시피를 검색, 기계에 프로그래밍한 뒤 식품 캡슐에 신선한 재료를 채우면 음식이 인쇄되어 나온다. 음식 섭취가 불가능하거나 어려운 사람들에게 의료 분야의 치료 식품으로 사용될 수 있다는 평가를 받는다.

3D 프린터 Foodini와 프린팅된 음식

출처: https://static.naturalmachines.com

3D 프린터로 만든 고령친화식품은 기존 퓌레 식품보다 더 많은 영양을 유지할 수 있으며 비타민 및 미네랄 등 추가 영양소를 얻을 수 있

다. 이를 통해 식욕이 부족한 사람들이나 영양실조 환자들의 회복과 영양 관리를 도울 수 있다.

미국의 경우 '특수용도식품(Food for special dietary uses)'으로 관리하고 있으며 고령친화식품을 별도로 규정하지 않고 우리나라의 특수의료용도식품과 유사한 개념의 의료용 식품(Medical Foods)의 범주에 포함 시키고 있다. 미국의 Medical food는 고령자뿐만 아니라 질환과 회복기, 임신, 수유, 음식에 대한 알레르기 과민반응, 저체중 등의 육체적, 생리적, 병리학적 혹은 기타 조건을 이유로 필요한 특별한 식이를 공급하기 위함과 유아나 아동기를 포함하여 나이 때문에 필요한 특별한 식이를 공급하기 위해 사용되는 식품으로 정의되어 있다.

미국에서 생산, 판매되는 대표적인 고령친화식품 유형에는 연하작용을 돕는 고령자용 증점제, 고령자용 음료, 고령자용 영양보조제 등이 있다. 이 중 고령자용 영양보조제는 체중 및 혈당관리, 심장 건강, 면역향상, 근육 강화 등을 목적으로 하며, 액체, 분말, 푸딩 등 다양한 형태로 생산된다.

미국의 고령친화식품은 의료용 이외에 고령층을 대상으로 하는 건강식품의 경우 저작이나 연하를 도울 수 있도록 다양한 제품이 유통되고 있다.

(3) 독일

독일은 이미 1980년대부터 고령친화식품이 구매 가능한 형태로 판매되기 시작하였으며, 식품산업을 통해 냉동식품 형태의 완전조리급식이나 전처리 및 반조리된 식재료가 보급되고, 이들을 이용하여 지역사회 중심으로 장기요양시설 급식이나 재가노인 이동급식의 문제를 적극적으로 해결하고 있다.

독일의 고령친화식품 관련 정책의 핵심은 국가 주도형 표준화 정책으로 귀결되며, 급식서비스(VSSE)와 식사 배달 서비스(EAR)로 양분되어 있으며 독일 연방정부의 후원으로 독일영양학회(DGE)가 단체급식 또는 이동급식 관련한 급식 표준화 기준을 마련하고, 이에 대한 인증제도를 실시하고 있다. 그중 배달 식사서비스 표준화를 중심으로 살펴본다.

1) 배달 식사서비스 표준화(DGE-QS für Essen auf Rädern)

독일에서 배달 식사 서비스(EAR)는 이미 60여 년의 역사를 가진 일반적인 유통형태이다. 오랜 시간에 걸쳐 고령친화식품산업으로 자리매김 되었지만 공급되는 노인식사의 영양충족 여부, 맛, 형태의 적합성 등이 검증되거나 평가되지 않는 등 많은 문제점이 있었다. 이러한 애로사항 개선을 위하여 독일의 배달 식사 서비스 표준화는 2010년부터 추진되고 있다. 이를 통해 영양 요구량을 충족시키고 균형 잡힌 식사를 준비할 수 있도록 지원하며 표준화를 통해 조리와 관련된 실무를 지원할 수 있게 되었다.

표준화의 주요 내용은 다음과 같다.

일반적으로 배달 식사서비스(EAR)는 생산자에 의해 조리·생산되고, 공급자가 따뜻하게 먹을 수 있는 상태로 준비된 배달시스템을 가동하여 집 앞까지 배달하는 것이지만, 냉장·냉동식품을 따뜻하게 데워서 배달하거나 냉장·냉동 상태로 배달하기도 한다.

점심만 제공하는 경우 식품군별 적용 빈도수가 달라지지만, 식단작성, 식품선별, 전처리 식품의 적용, 조리과정의 원칙, 식품 보관 온도 및 시간, 관능, 영양소 공급원칙, 식품위생 등에서는 단체급식서비스 표준화기준(DGE-VSSE)과 흡사하다.

독일의 보온 보냉이 가능한 식사 배달 차량

출처: https://www.apetito.de

배달 식사서비스(EAR)는 고객과의 대면 서비스가 이루어지므로 고객과의 관계 구축과 식사 배달을 위한 운반 및 공급시스템이 추가되며, 표준화 고객 중심의 서비스 체계 구축을 위해 제공 메뉴와 서비스 관련 표준 계약서 작성, 배송 관련 협의 등의 규정이 있다.

4. 고령친화식품 활성화 방안

(1) 인식 및 인지도 확산

2021년 진행한 한 조사에 의하면 10명 중 7명은 고령친화식품이 무엇인지 잘 모르는 것으로 나타났다. 또한 서울, 부산, 광주, 대전광역시에 거주하는 45~69세 남녀 800명을 대상으로 설문 조사한 결과, 고령친화식품을 '들어 본 적 있다'는 응답은 33.6%였고, 고령친화식품을 접한 경로는 '인터넷 뉴스 기사를 통해서'가 24.2%로 가장 높은 비율로 나타났다. 그다음으로는 'TV광고/프로그램(22.7%)', '주변 사람들의 추천/입소문(17.5%)' 등의 순이었다.

소비자들은 고령친화식품에 대한 관련 정보를 찾아볼 때 고령친화식품의 '필수 영양소 함유' 여부를 가장 고려했으며 다음으로 '안전성', '조리/취식의 편이성' 등을 꼽았다. 특히 조리/취식이 간편하면 고령자가 혼자 있을 때 간편하게 먹을 수 있기 때문에 고령친화식품 정보 탐

색 시 중요하게 고려했을 것으로 보인다.

그러나 고령친화식품이라는 용어가 구입을 꺼리게 한다는 소비자도 상당했고, 이들은 고령친화식품보다 '케어푸드'라는 용어를 선호했다. 고령친화식품이라는 용어로 인한 구입 의향 조사 결과, 응답자의 33.6%는 '망설여지지 않는다'고 응답했으나 27.1%는 '구입이 망설여진다'고 응답해 용어에 대한 긍정, 부정 응답이 유사한 수준으로 나타났다. 특히 연령대가 낮을수록 상대적으로 고령친화식품 용어로 인해 제품 구입을 망설이는 경향이 있는 것으로 확인되었다.

(2) 혁신적인 제품 개발 및 마케팅 전략

고령자의 다양한 영양 요구와 식사 선호도를 고려한 맞춤형 제품 개발이 필요하다. 기존의 죽, 유동식 음료 등에서 벗어나 푸드테크 기술을 적용한 혁신적인 제품이 개발되어야 한다. 뼈째 먹는 부드러운 생선구이나 질기지 않은 불고기 등은 고령자는 물론 전 연령대에서 좋은 반응을 얻을 수 있는 제품이다.

또한 균형 잡힌 한 끼가 되도록 도시락 형태의 완제품이나 밀키트도 다양하게 개발되어야 한다. 이러한 제품이 '고령친화우수식품'으로써 해당 플랫폼에만 있다면 판매가 활성화되기 쉽지 않다. 고령자 전용의 이미지를 탈피, 누구나 취식할 수 있는 음식으로 홍보하여 온라인

커머스 및 오프라인 매장으로 판로를 개척하는 것이 필요하다. 더불어 대대적인 시식 홍보 활동으로 고객이 직접 식감이나 맛을 보게 하는 경험이 수반된다면 제품에 대해 가지고 있는 선입견도 빠르게 개선될 수 있을 것이다.

(3) 정부의 정책 및 지원 강화

2023년 농식품부가 고령친화우수식품을 활용한 고령친화식단이 노인들의 영양 및 건강 상태 개선에 효과가 있음을 실증사업을 통해 입증한 사례가 있다.

농식품부와 한국식품산업클러스터진흥원은 고령친화우수식품의 건강개선 효과를 입증하기 위해 재가노인에게 식사를 배달하는 서비스(지역사회 통합돌봄)를 받는 전북 전주시 거주 65세 이상 180명을 대상으로 실증사업을 시행했다. 2023년 5월부터 11월까지 150일간 하루 한 끼 도시락을 전달하는 방식으로, 154명에게는 우수식품으로 구성된 고령친화 식단을, 나머지 26명에게는 일반적인 도시락을 제공했다.

이후 신체 및 혈액 검사 결과, 고령친화식단 제공의 경우 에너지, 단백질, 엽산 섭취량이 유의하게 늘어난 것으로 나타났다. 영양불량률은 11.7%에서 6.5%로 감소했으며, 혈당, 총콜레스테롤, 중성지방이 유의미하게 감소하는 등 고령자의 영양·건강 상태가 증진되는 것을 확인했다. 해당 연구 결과는 국제학술지 《뉴트리엔트(Nutrients)》에 게재되기도 했다.

이처럼 정부의 관련 정책과 지원이 강화되어 공공수요 등으로도 연계된다면 많은 고령자의 식생활 및 영양 개선을 통해 건강과 삶의 질 향상을 도모할 수 있을 것이다.

5. 에필로그

과거 시니어 세대는 주로 남은 여생을 소일거리를 하거나 손주를 돌보며 시간을 보냈다. 그러나 새로운 시니어 세대는 자녀가 독립하기 시작하면 건강한 신체와 경제력을 기반으로 다양한 여가 생활을 즐기며, 건강하고 아름답게 늙기 위한 웰에이징(well-aging)을 추구하게 되었다. 이들 세대는 사고방식, 체력, 라이프스타일 등 다양한 측면에서 젊고 활동적인 경향을 보이며 스스로 5~10살 이상 더 젊다고 생각한다.

능동적인 소비행태와 새로운 트렌드를 수용하는 데 열린 자세를 가지고 있는 젊은 노인을 뜻하는 '욜드족(YOLD, Young+Old)'이라는 신조어가 생길 정도다. 오는 2030년에는 이들이 전체 인구의 25%까지 차지할 것으로 보여 고령친화식품의 성장도 한층 더 탄력을 받을 것으로 보인다. 실제 aT와 보건산업진흥원에 따르면 고령친화식품 시장은 2023

년 3조 원 규모를 넘어섰고, 오는 2030년에는 5조 원까지 성장할 것으로 전망하고 있다.

나이가 들어도 젊은 시절 즐겨 먹던 고기나 떡류 등을 계속해서 선호하는 것은 물론 최근에는 스테이크, 피자도 시니어들이 좋아하는 메뉴가 되었다. 이러한 소비자의 니즈에 맞춰 메뉴 본래의 맛은 유지하면서 저작, 연하, 소화까지 용이한 제품이 다양하게 개발되기를 바란다.

더불어 제조식품으로써의 제품뿐만 아니라 우리 가까이에 있는 음식점에서도 케어푸드 같은 외식 메뉴가 늘어나 함께하는 모두가 행복하고 즐거운 식사 시간을 가질 수 있기를 기대한다.

참고문헌

- 이연숙, 임현숙 외, 《생애주기영양학》, 교문사, 2021.
- 곽동경, 김현아 외, 〈고령친화식품 개발을 위한 한국 노년층의 조리 요구도 조사-서울·경기 지역 노인을 중심으로-〉, 《한국식품조리과학회지》, 2013.
- 김상효, 이용선, 허성윤, 〈고령친화식품 현황 및 활성화 방안〉, 한국농촌경제연구원, 2017.
- 김정선, 김경래 외, 〈공공급식체계를 활용한 고령친화식품 제공 방안 연구〉, 농림축산식품부·한국보건사회연구원, 2020.
- 신동민, 김도현 외, 〈고령친화식품 산업 현황 및 전망〉, 한국축산식품학회, 2023.
- 이승주, 〈고령친화형 식품개발을 위한 국내외 관련 연구현황〉, 《식품과학과 산업 = Food science and industry》, v.48 no.3, pp.13-19, 2015.
- 이현순, 남영주 외, 〈고령친화식품의 정책 및 산업기술 동향〉, 《식품과학과 산업 = Food science and industry》, v.53 no.4, pp.435-443, 2020.
- 장효연, 이승주, 〈고령자 대상 식생활 및 시판 고령친화식품 기호도 조사 - 서울시 내 노인복지시설 이용자 중심으로〉, 《東아시아食生活學會誌 = Journal of the East Asian Society of Dietary Life》, v.27 no.2, pp.124-136, 2017.
- 황은미, 김정선, 〈노인의 특징별 맞춤형 식사서비스 제공을 위한 지원 방안〉, 한국보건사회연구원, 2017.
- 석준호, 〈고령친화식품의 선택속성이 태도 및 구매의도에 미치는 영향에 관한 연구〉, 세종대학교 관광대학원 호텔·외식경영학과, 석사학위논문, 2020.
- 농림식품기술기획평가원, 〈메디푸드 및 고령친화식품 동향보고서〉, 《식품 R&D 이슈보고서》, 2021.
- 한국농수산식품유통공사(aT), 〈가공식품 세분시장 현황〉, 《고령친화식품 보고서》, 2020.
- 한국농수산식품유통공사(aT), 〈케어푸드의 현황과 미래〉, 《식품외식산업 전망대회 자료집》, 2024.
- Jung, Da-Sol, et al., 〈A Study on the Viscosity of Senior-Friendly Foods for Quality Standards〉, 《Resource Science Research Institute》, 5.1 pp.1-15, 2023.

- Shin Hye-Ri, et al., 〈Nutritional Status and Frailty Improvement through Senior-Friendly Diet〉
- among Community-Dwelling Older Adults in South Korea, 《Nutrients》, 15.6 pp.1381, 2023.
- 고령친화산업센터(https://www.foodpolis.k)
- 농식품수출정보(https://www.kati.net/index.do)
- 보건복지부(https://www.mohw.go.kr)
- 서울특별시 식생활종합지원센터(https://www.seoulnutri.co.kr)
- 식품산업통계정보시스템(https://www.aTFIS.or.kr)
- 식품음료신문(https://www.thinkfood.co.kr)
- 아워홈 TFS(https://tfs.ourhome.co.kr)
- 한국영양학회(https://www.kns.or.kr)
- 한국농수산식품유통공사(https://www.at.or.kr)
- 한국농촌경제연구원(https://www.krei.re.kr/krei/index.do)
- 한국임상영양학회(http://p.korscn.or.kr)
- 푸드폴리스마켓(https://fmarket.or.kr)

저자소개

손혜경 SON HYE GYUNG

학력

- 경기대학교 일반대학원 관광학 석사
- 공주대 이학사

경력

- 에쓰온 컨설팅 대표
- 소상공인시장진흥공단 컨설턴트·강사
- 울산소상공인행복드림센터 컨설턴트·강사
- 경남신용보증재단 컨설턴트
- aT한국농수산식품유통공사 교육원 강사
- 신사업창업사관학교 강사·멘토
- 경남광역자활센터 컨설턴트·강사
- 한국노인인력개발원 컨설턴트
- 제주경제통상진흥원 컨설턴트
- 밀양시마을만들기지원센터 컨설턴트·강사
- 기업체 NCS 활용 컨설턴트·직무교육 강사

- 공공기관 NCS 블라인드 면접관
- K-Startup 창업지원사업 평가위원
- 전) 한국관광대·혜전대 등 겸임교수
- 전) SPC 비알코리아(주) 근무
- 전) 밀레니엄힐튼서울호텔 근무

자격

- 창업지도사 1급
- 스타트업 컨설턴트·전직지원 컨설턴트
- NCS 신직업전환교수
- SMAT서비스경영 컨설턴트 1급
- 유통관리사 2급
- WSET(국제공인와인전문가) Lv. 2
- 영양사·조리산업기사(한식)·커피 매스터 등

저서

- 《NCS 기반 한식조리기능사 실기 및 호텔한식 실전요리》, 백산출판사, 2020. (공저)

수상

- 2019 한국능률협회 우수강사 감사패
- 2015 소상공인시장진흥공단 우수컨설턴트 이사장상

초고령사회 산업의 변화

초판 1쇄 발행 2024년 04월 22일

지은이 김영기, 유민상, 김효정, 인치견, 이병용,
신현명, 이한규, 이상린, 손혜경
펴낸이 김영기

펴낸곳 브레인플랫폼(주)
주소 서울특별시 서초구 법원로3길 19, 2층 (서초동)
등록 2019년 01월 15일 제2019-000020호
이메일 iprcom@naver.com

ISBN 979-11-91436-32-7 13320